D0235358

Goede bedoelingen

Agnès Desarthe

Goede bedoelingen

Uit het Frans vertaald door
Marie-José Koot en Hans van der Prijt

UITGEVERIJ DE GEUS

Oorspronkelijke titel *Les bonnes intentions*, verschenen bij
Éditions de l'Olivier
Oorspronkelijke tekst © Éditions de l'Olivier/Le Seuil, Parijs 2000
Nederlandse vertaling © Marie-José Koot, Hans van der Prijt en
Uitgeverij De Geus bv, Breda 2002
Omslagontwerp Uitgeverij De Geus bv
Omslagillustratie A Greg Raymond © Photonica / Image Store
Foto auteur © C. Levy-Niezsawer
Lithografie TwinType, Breda
Druk Koninklijke Wöhrmann bv, Zutphen

ISBN 90 445 0058 9
NUR 302

Verspreiding in België via Libridis nv, Industriepark-Noord 5a,
9100 Sint-Niklaas

Goede bedoelingen

1

De vergadering

Mijn intrede in de wereld van huiseigenaren heeft niet alleen maar voordelen. Leningen, belastingen, verouderde elektrische bedradingen, loodgieterswerk dat maar half af is, achterstallig schilderwerk, slechte geluidsisolatie van plafonds en muren. De zorgeloosheid komt niet verder dan de voordeur. Toen ik er ging wonen, vroeg ik me af of dat gevoel ooit zou terugkeren. Ik moest wachten tot de vergadering van mede-eigenaren om te kunnen constateren hoe groot de omvang van het onheil was. Het bijwonen van deze vergaderingen is niet verplicht en het lijkt overdreven om zo'n vrijwillig gekozen kwelling te vergelijken met de onvermijdelijke zorg die overgenomen schulden en het betrekken van een nieuwe woning met zich meebrengen. In mijn geval gaat deze vanzelfsprekendheid echter niet op.

Toen ik gehoor gaf aan de oproep van meneer Moldo, de vertegenwoordiger van de Vereniging Eigen Huis, zat ik voor ik het wist in een bloedheet zaaltje uren te luisteren naar mensen die spraken over zaken die mij allerminst interesseerden, maar waarover ze ook mijn mening en mijn instemming vroegen. 'Met uw goedvinden gaan we over tot de stemming.' Handen gaan omhoog. Meneer Moldo telt de stemmen.

'Weet u zeker dat u tegenstemt, mevrouw Jauffret?'

'Oh ja, heel zeker.'

Mevrouw Jauffret knikt heftig en nestelt zich vervolgens in haar leunstoel om haar besluit te onderstrepen.

'Bent u zich ervan bewust dat elke tegenstem de mede-eigenaren geld kost?'

Heb ik het goed gehoord? Ik durf het niet te laten herhalen, omdat ik nieuw ben en meneer Moldo indruk op mij maakt. Hij is onze vertegenwoordiger en ik verspil heel wat tijd met me af te vragen of het begrip vertegenwoordiger niet meer te maken heeft met iemand die je iets komt aansmeren. Meneer Moldo lijkt op een tapir. Kleine, priemende, dicht bij elkaar staande oogjes, beweeglijk en traag tegelijk als twee diepliggende bewakingscameraatjes aan weerszijden van een lange spitse neus. Meneer Moldo begint iedere zin met 'luister' en je weet meteen al dat je hebt verloren. Hij laat zich nooit in de rede vallen.

Hij ontving Julien en mij met open armen terwijl hij brulde: 'Vers bloed!' Onmiddellijk zag ik voor me hoe hij aan mijn halsslagader sabbelde. Achter hem glimlachte mevrouw Moldo naar ons. Ze is zijn echtgenote, zijn dubbelganger, zijn assistente, zijn secretaresse, een veelzijdige vrouw met een bril op het puntje van haar neus, zodat ze er overheen kan kijken. En terwijl ze mijn handen pakte, riep ze uit: 'Wat een mooie ogen hebt u!'

Toen zag ik de koperen plaat in het portiek weer voor me.

Bij de ingang van het flatgebouw was een deel van de muur uitsluitend bestemd voor bordjes waarop we konden zien dat het gebouw onderdak bood aan een kno-arts, een mondarts, een psychiater, een bedrijf voor grafische vormgeving, onze veelbesproken vertegenwoordiger en, ten slotte, de 'ogenbank'. Meer informatie was er niet. Zwarte, in metaal gegraveerde letters hadden verder niets te vertellen. OGENBANK $-$ 2DE RECHTS $-$ HARD BELLEN.

We zijn hier dus om ons bloed en onze ogen te geven. Ja, ja.

Ik raak Juliens arm aan om er zeker van te zijn dat alles om me heen echt is. Het contact met het leer van zijn jack, de nabijheid van zijn huid en van zijn spieren brengen mij meteen tot bedaren. Als antwoord op mevrouw Moldo glimlach ik.

'Leuk u te ontmoeten', zeg ik.

Met een geroutineerd gebaar strijkt ze haar trui glad over haar boezem. Ik zal de komende maanden ontdekken dat ze een grenzeloze passie koestert voor mohair. In alle kleuren, ineengestrengeld, versierd met gouddraad, met zilverdraad, met veren. Ze is een vrouw die kan genieten van het aangename contact met het toetsenbord van haar computer, die genoegen schept in een goede articulatie van ieder woord dat ze uitspreekt en in het laten rusten van haar rug tegen de ergonomische leuning van haar stoel.

'Schrijf ik dat in het verslag, meneer Moldo?'

'Absoluut, mevrouw Moldo.'

Ik ben hen dankbaar voor de vertoning die zij ons bieden door elkaar zo met de achternaam aan te spreken en ik bewonder hun administratieve ijver. Ik neem me voor om op iedere gewoonte van hen te gaan letten. Ik weet zeker dat ik me anders dodelijk verveel.

'We hebben veel geluk in dit flatgebouw, ja, echt, veel geluk', zegt meneer Moldo hatelijk, hangend over zijn bureau, in een buitengewoon zelfverzekerde houding. 'Omdat er geen huurders zijn. Dat is heel zeldzaam. Uit-zon-der-lijk. Al onze vriendelijke mede-eigenaren wonen in het flatgebouw en daarom voelen ze zich betrokken bij het leven van de anderen van de groep. Meneer en mevrouw Dupotier laten zich verontschuldigen, omdat ze de laatste tijd erg ziek zijn en erg verzwakt. Bent u door hen gemachtigd, mevrouw Pognon? Noteer, mevrouw Moldo: mevrouw Pognon is gemachtigde van de Dupotiers. De Kovaks zijn er niet, geen gemachtigde, een betalingsachterstand van... laten we eens kijken... acht maanden, dat is niet niks, maar laten we ons maar niet gek maken, hun dochter heeft me vanuit Washington opgebeld. Noteer, mevrouw Moldo: Kovaks afwezig, zonder machtiging, twee keer een herinnering gestuurd, toen een telegram, ze kunnen het krijgen zoals ze het hebben willen. Nee, ik maak een grapje, het is nog nooit nodig geweest om een beroep te doen op de deurwaarder. Nietwaar, mevrouw Moldo?'

Ik kijk om me heen, er stroomt allemaal oud bloed door de lichamen van mijn buren. We zijn in een bejaardenhuis terechtgekomen.

Meneer en mevrouw Pognon. Hij ziet eruit als een doodgraver en draagt fijne leren schoenen naar Italiaans model. Hij is erg groot, erg mager en mooi parelgrijs. Zijn vrouw, die ik een tiental keren ben tegengekomen op de trap, herkent me nooit. Zij kijkt als een angstige kip en heeft een kort en gezet lichaam. Ze zal ongeveer tot zijn borst komen. Ik meende te begrijpen dat ze een winkel voor beddengoed hadden; dat kan ik me net zo min voorstellen als wanneer je mij zou meedelen dat mijn ouders aan het hoofd van een keten van seksboetieks staan.

'U bent dus tegen een duivennet, mevrouw Jauffret?'

'Ik blijf erbij.'

'Zou u uw keuze kunnen motiveren?'

'Meneer Moldo, u weet heel goed dat ik, omdat ik op de bovenste verdieping woon, van een blijvend vrij uitzicht over heel Parijs geniet en dat het raam van mijn badkamer uitziet op de Sacré-Coeur. Stelt u zich dan eens voor wat het betekent als ze daar een net gaan ophangen...'

Mevrouw Jauffret gaat langzamer praten. Ze heeft een astmaprobleem of zoiets, waardoor ze er niet in slaagt op adem te komen. Ze wordt door haar eigen gewicht platgedrukt en schijnt midden in haar zin in slaap te vallen.

Mevrouw Distik is voorgoed in slaap gevallen, zonder haar hoofddoek afgedaan te hebben, haar handtas verscholen tussen haar gekruiste armen. Haar man slaakt diepe zuchten van ergernis. Ze zijn even lang, hebben dezelfde ogen en dragen eenzelfde jasje.

Mevrouw Calmann geeft me een teken met haar hand. Ze is mijn lievelingsbuurvrouw, de enige die me groet. Zij heeft een onberispelijke watergolf en een hondje dat nooit blaft. Ze praat vaak op gedempte toon over haar man, haar ogen naar de hemel opgeslagen, omdat hij te dik is en weigert te gaan lijnen. Het lijkt of meneer Calmann op luchtkussens zit. Ondanks zijn omvang maakt hij niet het geringste geluid als hij zich verplaatst. Dat is misschien te danken aan de gymnastiek. Hij heeft zijn eigen trainer die wordt betaald door het ziekenfonds en die hem helpt met zijn oefeningen.

Vanaf mijn geboorte heb ik in verscheidene flatgebouwen gewoond, nooit in een torenflat maar in gebouwen die maximaal zestien appartementen telden. Als kind had ik nooit echt begrepen wat de term 'buren' inhield. Op de trap kwam ik mensen tegen die elke keer vonden dat ik groter was geworden. Kinderen van mijn leeftijd waren wildvreemd voor me, we gingen niet naar dezelfde school en dan leek het meteen alsof we niet op dezelfde planeet leefden. Dit appartement dat we twee maanden geleden hebben gekocht, is mijn eerste echte huis, en ik besloot om me te gedragen als een vrouw met gevoel voor verantwoordelijkheid.

Alleen maar om er als zodanig uit te zien, sla ik mijn benen over elkaar. Ik ga omzichtig in die houding zitten, want sinds ik mijn ogen voor de wereld geopend heb, sinds ik vanaf kinderhoogte begonnen ben met het observeren van de maniertjes van volwassenen, heb ik gemerkt dat deze houding bovenaan de lijst van hun favoriete houdingen staat. Zowel mannen als vrouwen slaan het ene been over het andere. Dat is slecht voor je rug maar goed voor je ego. Je voelt onmiddellijk dat je meer aanzien hebt. Ik doe dus zoals het hoort en ik merk wat een volmaakte harmonie daardoor ontstaat tussen mij en mevrouw Pétronie, die in dezelfde houding naast mij zit. Mevrouw Pétronie is een uiterst verzorgd vrouwtje van een jaar of zestig met een goeiige blik die je verlegen maakt. Haar man loopt daarentegen ernstig mank. Hij heeft heel korte armen en zijn handen verdwijnen in de te lange mouwen van zijn pak. Hij heeft zijn benen niet over elkaar. Dat kan hij niet omdat hij niet normaal is. Ik weet niet hoe ik het anders moet zeggen. Hij trekt onophoudelijk grimassen door de zenuwtrekjes in zijn gezicht. Hij maakt een vreemd geluid met zijn mond, zoals mensen doen als ze katten, kippen of schapen lokken, een soort welluidende, zich herhalende kus. Omdat we een keurig gezelschap zijn, doen we allemaal net of we het niet merken. In onze gemeenschap van gezonde mensen accepteren wij hem zoals hij is.

Ik vraag me af wat er in het hoofd van mevrouw Pétronie omging op de dag dat ze meneer Pétronie huwde. Misschien was hij in zijn jeugd niet zo misvormd, minder vreemd. Het heeft ongetwijfeld te maken met een ziekte en ik word er erg verdrietig van als ik me voor de geest haal hoe hij van dag tot dag verzwakte, totdat hij werd wat hij nu is: een knorrige oude baby. Maar het is nog treuriger te bedenken dat hij altijd zo is geweest en dat mevrouw Pétronie ondanks alles haar oog op hem heeft laten vallen, niet omdat hij rijk was – dat is hij ook echt, geloof ik – maar uit goeiigheid. Zij heeft hem in haar liefde opgenomen (ik moet hier heel duidelijk zeggen dat zij onder alle omstandigheden een oprechte tederheid betoont). Zij heeft weet ik veel wat voor fout goedgemaakt. Ik stel me voor hoe ze veertig jaar geleden was. In een bepaald opzicht moet ze wel erg mooi geweest zijn, zo mooi als een klein verlegen muisje, mooi maar besmeurd met een volle soeplepel berouw dat kokend over haar jonge schedel gegoten werd. Misschien is dat wel het christendom, zei ik tegen mezelf. Om tegen de natuur in te kiezen voor de zwakste, te houden van de armste, je leven te wijden aan het verzachten van de pijn van anderen.

'Weet u al of het een jongen of een meisje is?'

Mevrouw Pétronie buigt zich over mij heen. Ze fluistert in mijn oor en kijkt me met vertederde en vochtige ogen aan, wat me ogenblikkelijk een warm gevoel geeft. Ik aarzel even voor ik antwoord, omdat ik bang ben om een standje te krijgen, omdat ik op een ongelegen moment aan het kletsen ben. Door mijn hoofd te schudden geef ik te kennen dat ik dat nog niet weet.

'Ik heb een zoon', zei ze.

Zo, zeg ik tegen mezelf. Tjonge, dat zal wel geen schoonheid zijn. Maar haar stralende blik toont duidelijk het tegengestelde aan. Haar zoon is haar trots, haar overwinning van de grote weddenschap met het noodlot. Altijd vertrouwen hebben in mensen, een juiste en algemeen geldende regel.

In de week daarop ben ik hen samen, moeder en kind, op straat tegengekomen. Een welgestelde, opvallend deugdzame man van onberispelijk gedrag. Hij hield de deur van het flatgebouw voor me open om mij elegant en hoffelijk voor te laten gaan. Een plezierige rilling leerde mij dat ik hem heel erg appetijtelijk vond.

'Laten we de draad weer oppakken, mevrouw Moldo, de motie voor het duivennet is aangenomen met acht stemmen voor en één tegen. Mevrouw Jauffret, alstublieft...'

'Het is mijn volste recht.'

'Maar u ziet toch wel dat het nutteloos is, we gaan het in ieder geval ophangen.'

'Het is mijn volste recht', herhaalt mevrouw Jauffret, die haast een beroerte krijgt.

Mevrouw Pétronie en ik kijken elkaar vragend aan. Moeten we ingrijpen? Meneer Créton geeft ons daar de tijd niet voor.

'Als voorzitter van de vereniging van huiseigenaren,' verklaart hij met een hoge stem, 'wil ik toch even opmerken dat de houding van mijn buurvrouw, hoewel niet constructief, toch volkomen legaal en gegrond is. Sta mij in ieder geval toe, beste mevrouw Jauffret, om in antwoord op de brief van de elfde van deze maand hier de aandacht te vestigen op...'

Meneer Moldo doet zijn ogen dicht. Zijn dagelijkse straf voltrekt zich en hij besluit de pijn ervan rustig te ondergaan. Ik draai me om om te zien wie er aan het woord is, wie erin slaagt om in twee zinnen zo'n onsympathieke en vervelende indruk te maken. Meneer Créton raakt niet uitgepraat. Hij citeert te hooi en te gras verschillende artikelen van de wettelijke bepalingen van de Vereniging Eigen Huis en brengt fragmenten van vorige verslagen onder de aandacht. Het is een paperassenmaniak. Zijn vrouw, een norse zwaarlijvige knorrepot met nogal uitpuilende ogen, port hem voortdurend met haar elleboog terwijl hij over zijn toehoorders een golf van argumenten uitstort waar kop noch staart aan zit. In tegenstelling tot wat je zou kunnen denken, zijn de porren niet bedoeld om hem het zwijgen op te leggen, maar om hem aan te moedigen. Behendig door haar opgejut, kwaakt hij door de algehele onverschilligheid heen.

Ze zullen uiteindelijk een voor een het woord nemen, zelfs mevrouw Distik zal wakker worden om zich ermee te bemoeien. Het gaat er hen niet om iets zinnigs in te brengen, om wat dan ook uit te leggen; het gaat om het uiten van de vage waarheid die aangekoekt zit in hun hart. Een bejaardenhuis, ja, en ook een gekkenhuis, denk ik, terwijl ik op mijn horloge kijk. Twee uur zijn er al voorbij en we zijn pas bij het tweede punt van de vijf punten tellende agenda.

Julien heeft zijn kin op zijn gekruiste handen gelegd. Hij lijkt zich kostelijk te amuseren. Ons nieuwe leven begint, zeg ik tegen mezelf.

Hoopvol en vastberaden heb ik mijn intrek genomen op nummer 116/118 van de boulevard.

2

Een betoverende boezem

Kerstmis nadert, een uitermate vruchtbare periode voor wanhopige buien.

Meneer Dupotier staat weer eens voor de deur. Al de derde keer vanmorgen. Hij komt steeds vaker.

Kerstmis laat mij helemaal koud, hoewel een maand lang onverschilligheid ten aanzien van Kerstmis heel wat inspanning van je vergt.

Hem laat het niet koud. Hij denkt eraan, hij ziet Kerstmis op de televisie. Hij herinnert zich Kerstmis met zijn hond, zijn vrouw en zijn zoon. Ze zijn alle drie gestorven, de een na de ander.

Het dier opende de stoet. Ik woonde nog maar net drie maanden in het flatgebouw, maar ik kende de Dupotiers: ze deden er uren over om van hun etage naar beneden of naar boven te gaan. Noiraud, hun cockerspaniël, was niet sneller, hij had een soort *genu valgum* (hoewel ik niet weet of een dergelijke misvorming ook bij honden voorkomt). In ieder geval kwam hij moeizaam vooruit op zijn x-poten en met zijn buik bijna op de grond. Het beest was zo meelijwekkend dat meneer en mevrouw Dupotier er vergeleken met hem bijna jeugdig uitzagen.

De hond stierf dus als eerste. Ik wist niet hoe. Ik wist het niet meteen. Ondanks of misschien wel dankzij mijn waakzaamheid, doen nieuwtjes er een tijdje over om mij te bereiken.

Mevrouw Dupotier stond halverwege de trap en hield zich vast aan de leuning. Wachtte ze op Noiraud?

'Ons arme hondje is dood, mevrouwtje.'

Ik vroeg me af of ze hem begraven hadden. Ik trok een passend gezicht, maar ik durfde haar hand niet vast te pakken zoals ik had willen doen.

Mevrouw Dupotier had lange, magere, kromme krijtkleurige vingers. Dat laatste gold trouwens voor haar gehele persoon. Als ik haar zag weggaan, stond ik er versteld van hoe wit ze was, hoe stoffig, alsof het hele flatgebouw op haar was gevallen en zij er op een wonderbaarlijke manier ongedeerd uit was gekomen met als enig gevolg dat kalkachtige laagje dat elke porie van haar huid bedekte.

Als ik haar geen hand heb gegeven, komt dat ook omdat ik bang ben voor bejaarde vrouwen. In het verhaal van het meisje dat water gaat halen bij de bron en dat de kruik aan het oude vrouwtje geeft, zou ik zijn afgehaakt. Als ik haar bij de bron zou zien staan, kromgebogen, uitgemergeld, met rode ogen, dan zou ik de andere kant op gerend zijn. In het algemeen ben ik bang om mensen aan te raken. Ik ben bang dat ze het verkeerd opvatten, ik vrees dat ik te opdringerig ben.

Na de dood van Noiraud stelde de kruidenier van beneden aan de Dupotiers voor om een van zijn puppy's over te nemen, maar ze hebben tegen hem gezegd dat ze geen wees wilden maken. Ze voelden dat hun einder in zicht kwam. Mevrouw Dupotier leverde een aardig bewijs van helderziendheid: nog geen zes maanden later stierf ze.

Dit keer was ik de eerste die het wist. Meneer Dupotier kwam bij mij op de deur kloppen.

'Oh, mevrouwtje, als u eens wist. Er is iets heel ergs gebeurd.'

Ook nu zou ik zijn handen hebben willen pakken. Maar de zijne waren nog afstotender dan die van zijn vrouw, vanwege zijn nagels die hij niet meer knipte en die zwart geworden waren en in zijn grijze vel groeiden. Ik kon het niet laten om ze bij iedere ontmoeting die we hadden te bekijken, omdat ze mij een betrouwbare aanwijzing leken te leveren van het feit dat je met het verstrijken der jaren terugkeert van mens naar dier.

Twee dagen later belde de conciërge aan.

'Wil je naar het lijk komen kijken?'

Ik begreep het niet meteen. Simone, de conciërge, heeft me altijd getutoyeerd. Ik moet u beslist uitleggen waarom. Ik moet u echt even iets over Simone vertellen en ik vraag me zelfs af of ik daarmee niet had moeten beginnen.

Als ik u over Simone vertel, vertel ik u automatisch ook iets over mezelf. Niet dat we op elkaar leken, maar omdat ze zo gemakkelijk mijn leven is binnengedrongen.

Toen ik het appartement bekeek, zei ik tegen mezelf dat ik mijn stek gevonden had. Hier wilde ik wonen. Hier wilde ik ons kind geboren laten worden. De prijs was te hoog maar we konden niet meer terug. Liefde op het eerste gezicht.

De zaak werd geregeld en wij verhuisden twee maanden later. Ik was zwanger en hoefde dus niets te sjouwen. Languit op de lange eikenhouten tafel die de vorige eigenaren achter hadden gelaten, wachtte ik op de komst van de dozen. Het was mooi weer. Het raam stond open. Ik dacht: Nooit zal ik op deze plek kunnen wonen. Er is te veel lawaai. Ik had zin om te huilen omdat ik wist dat er geen weg terug meer was. Ik probeerde mezelf ervan te overtuigen dat het alleen maar een onbestemd gevoel was.

Toen ik weer opstond om het raam dicht te doen, zag ik Simone tegenover mij staan.

'Omdat de deur openstond, ben ik maar binnengekomen', zei ze.

Ik schrok niet, omdat haar manier van doen mij te nieuwsgierig maakte om me te verbazen over haar aanwezigheid.

'Simone, de conciërge.'

'Sonia… Ik ben de nieuwe eigenaresse.'

'Sonia, het lijkt wel of je zwanger bent.'

Ik keek naar mijn buik, die iets minder gezwollen was dan die van haar.

Simone was vrij dik, hoewel deze term niet van toepassing was op haar hele uiterlijk. Op magere gespierde pootjes droeg ze een zware romp. Haar weelderige borsten rustten op haar bewonderenswaardig ronde buik. Ze was klein van stuk en haar hoofd lag diep tussen haar schouders. Maar haar gezicht en haar armen kwamen mooi uit. Verouderd, slap, vol rode puisten, maar fraai gevormd. Haar haren waren haar echte trots. Zorgvuldig geblondeerd hingen ze in krullen tot op haar schouders. Als ze glimlachte, had je moeite om te geloven dat ze één op de twee tanden miste. Haar lippen, die door de tandstompjes misvormd waren, hadden met lippenstift bedekt moeten zijn, maar in plaats daarvan waren ze gebarsten en bleek, meer in overeenstemming met haar vale gelaatskleur – vlekkerig op de konen, bleek in de kuiltjes van haar wangen – en haar ruwe huid, dan met haar kapsel van een Amerikaanse vedette uit de jaren vijftig. Meestal droeg ze een blouse waarvan het decolleté de aandacht vestigde op haar betoverende boezem, en een paar versleten sloffen.

'Ja', antwoordde ik. 'Ik ben in de zevende maand.'

Ze zocht in haar zakken en haalde er een kassabon en een potlood uit en leunend op de tafel maakte ze aanstalten om iets te noteren.

'Polisnummer. Naam van je moeder, haar telefoonnummer. Naam van je schoonmoeder, telefoon.'

Zonder te aarzelen somde ik ze op. Ik was er nog maar net mee klaar of ik werd getroffen door een golf van paniek. Misschien was ze wel van de politie.

Ik was vaak bang dat ik aangehouden werd. Als mijn man en ik in de auto reden zei ik vaak tegen hem: 'Pas op, politie!'

Misschien was ze wel fasciste. Ze zou ons aangeven. Bij wie? Zeker, die vraag kwam niet uit de lucht vallen. Maar mijn geest werkt niet zo. Ik bedoel dat er bij mij geen plaats is voor logica. Angst vult alles.

'Wat doet jouw man?'

'Die is architect.'

Dat had ik niet mogen doen. Dingen over mezelf onthullen was ongetwijfeld een vergissing, maar informatie over Julien bekendmaken, dat ging te ver. Dat zou hij me nooit vergeven.

'Architecten, die reizen veel', zei ze toen ze zich met haar handen op haar heupen grijnzend oprichtte. 'Stel je eens voor dat de baby komt als je vent voor zijn werk op reis is.'

Met stomheid geslagen haalde ik mijn schouders op.

'Ik zet je in een taxi richting ziekenhuis en ik bel je moeder en je schoonmoeder op, zodat ze alles kunnen regelen. Geef me een reservesleutel, zodat ik in geval van nood de deur voor ze kan openen. Als de vliezen breken, heb je geen tijd om je koffer te pakken.'

Er was geen speld tussen te krijgen.

Ik gaf haar de sleutels, die ze meteen in haar zak stopte. Het geklingel en de bolling in de stof leerden me dat ze een sleutelbos als die van een cipier moest hebben.

'Goed, ik ga. Als je iets nodig hebt, roep je maar en dan kom ik. Mijn nicht Josette houdt de boel schoon. Een verhuizing brengt altijd veel troep met zich mee. Ik zal tegen haar zeggen dat ze morgen langskomt. Tien uur, is dat goed?'

Zonder mijn antwoord af te wachten, lichtte ze haar hielen en verdween.

Terwijl ik op het enige meubelstuk van mijn nieuwe appartement zat, probeerde ik mezelf er een ogenblik van te overtuigen dat het een droom was.

In geval van te onverwachte gebeurtenissen, van heftige situaties, heb ik de neiging om me voor het leven te verstoppen. Ik besta een graadje minder en ik wacht tot het voorbij is. Julien beweert dat dat struisvogelpolitiek is. Een laffe manier om te vermijden dat ik de werkelijkheid onder ogen moet zien. Wat kan ik daar tegenin brengen? Hij heeft gelijk, dat weet ik, maar ik kan er niets aan doen.

Op dagen dat ik goed in vorm ben, op ochtenden waarop een wraakzuchtige vloed het bruisende bloed dat gewoonlijk door mijn aderen stroomt, komt vervangen, geniet ik ervan om die gewoonte te zien als een vorm van heimelijke heldhaftigheid. Dankzij mijn vermaarde handelwijze slaag ik er inderdaad in om me moeilijkheden op de hals te halen waar menig dappere, ja zelfs onverschrokken geest zonder één seconde te aarzelen voor op de vlucht zou slaan.

Op dat soort momenten voel ik me goed. Ik denk dat ik iemand ben die overal in geïnteresseerd is en die bereid is haar gezondheid en – misschien moet ik het wel bekennen – die van de anderen op het spel te zetten, om meer van de wereld te leren en te begrijpen.

Op dat soort goede dagen zag ik Simone als onderwerp voor een spannend onderzoek naar menselijk gedrag in een vijandige omgeving: vijftien vierkante meter met een hond, parkieten, dag en nacht TF 1 in negentig decibellen en de stank van een stapel achterstallige afwas.

Op sombere dagen stond er een andere uitdrukking op haar gezicht. Dan werd ik me bewust van mijn zwakheid en vroeg ik me ontsteld af hoe ik het voor elkaar kreeg om indringers van haar soort in mijn privé-leven toe te laten.

Toen haar nicht Josette de volgende ochtend aan kwam zetten met een vieze emmer in de hand en een kapotte dweil over haar schouder, had ik kunnen weten hoe dom ik gehandeld had.

Maar vooral in de blik van Julien las ik het bewijs van deze eigenaardige vorm van waanzin die, als hij mij overvalt, mij net zo krachteloos maakt als wier dat met de stroom meedrijft.

In zijn ogen bleek Josette zich te ontpoppen tot wat ze echt was: een hoekige vrouw met keiharde knieën, met vieze tenen die uit haar orthopedische kleppers staken, met een lange spitse neus, met spiedende ogen en zwarte tanden. Ze zag er boosaardig uit, had een achterbakse blik en stonk naar Gitanes-maïssigaretten.

Julien vroeg mij: 'Wie is dat vreselijke mens?'

Ik besefte dat 'de werkster' niet het juiste antwoord was.

'Het is Josette, de nicht van Simone.'

'En wie is Simone?'

'De conciërge van het flatgebouw.'

Julien glimlachte. Ik was gered. Hij heeft een hekel aan mij en houdt van mij om dezelfde redenen – waardoor hij het in het leven niet makkelijk heeft.

Ik was dus aan het vertellen over de dood van mevrouw Dupotier en over haar lichaam dat ik moest gaan zien. Op de deurmat keek Simone mij aan met haar handen diep in de zakken van haar werkschort. Ze had vochtige ogen en hangende oogleden, haar hoofd was licht gebogen, ze leek op een hond. Ik dacht meteen aan Noiraud en aan een eventuele reïncarnatie. Dit soort idiote ideeën defileert de hele dag door mijn hoofd. Met haar bescheiden, vriendelijke glimlach vond ik haar mooi. Ik voelde vooral dat ik haar aanwezigheid op prijs stelde, dat ik het simpele feit van haar bestaan waardeerde, vanwege haar onwaarschijnlijke karakter. Voor mijn ontmoeting met Simone dacht ik dat mensen zoals zij niet meer bestonden.

Ik geef toe dat ik op gespannen voet leef met de werkelijkheid. Wat me iedere morgen bij het wakker worden – ik bedoel de wereld, de lucht, de geluiden van de stad – voorgeschoteld wordt, vind ik onvoldoende als echte werkelijkheid. Een groot deel van mijn dagen breng ik door met het wroeten in ik weet niet welk deel van de aardse dimensie, op zoek naar een aanwijzing, een nieuwigheid, een bewijs dat er nog iets anders is, dat men zich over de hele lijn vergist heeft. Ik sta open voor de meest onbeduidende ontdekking. Laat me weten dat de aarde uiteindelijk niet zo rond is als ze zeggen en u mag van mij een jaar lang gratis inkopen doen bij de banketbakker van uw keuze. Ik wacht in feite op de bevestiging van mijn intuïtie: we kunnen onmogelijk alles weten; bijgevolg missen we het essentiële en daarom is het zo moeilijk om 's morgens op te staan. Waartoe dient het, want niets is wat het lijkt. Geef mij drie Venusmannetjes, een vlees-etende bloem die in staat is een buffel te verslinden, een zenuw-centrum voor de vrije val in de hersens van een nijlpaard en ik ga gelukkig naar bed. Heel die chaos om me heen, die puin-hoop, die ongerijmdheid, en ik zou net moeten doen of ik alles geloof wat ze me vertellen…

Maar ik dwaal af, ik wilde alleen maar zeggen dat ik Simone graag mocht, de onwaarschijnlijke Simone die daar tegenover mij op mijn deurmat stond en tegen mij zei: 'Kom je naar het lijk kijken? Ik ga ook. Ik ben er gisteren al geweest maar ik ga nog een keer. Ze ligt er zo vredig bij. Je zult het wel zien. Wat had me-vrouw Dupotier toch een mooi gezicht.'

Ik wist niet wat ik moest antwoorden. Ik was bang om erheen te gaan en ik begreep niet wat voor nut het zou hebben. Ik over-woog om tegen Simone te zeggen dat mijn geloof me dit soort bezoekjes verbood, maar aan de ene kant was ik er niet zeker van dat het waar was en aan de andere kant aarzelde ik om dit soort onderwerpen met haar aan te roeren. Enkele weken na mijn komst in het appartement had ze echter gezegd: 'Ik kan met iedereen overweg. Neem nou de slager van beneden, daar ga ik naartoe om mijn vlees te kopen. Het is koosjer maar daar heb ik lak aan.'

Er was inderdaad een slagerij op de begane grond van ons flatgebouw. Meneer Lakrach verkocht halal-vlees en glimlachte veel. Voor Simone waren islamitisch en joods van hetzelfde laken een pak, een bewijs dat ze niet racistisch was.

'Nee, dank je, Simone, ik geef er niet om.'

'Je zult de ouwe er een plezier mee doen als je gaat.'

Ik zag de ziekelijke meneer Dupotier al voor me, in zijn ribfluwelen broek, met een slecht geknoopte strik om zijn kippennek en met zijn gevouwen handen aan het bed van zijn overleden echtgenote. Ik kon de moed niet opbrengen om dit schouwspel aan te zien. En bovendien kende ik mezelf te goed om dit risico te lopen.

Ik zou in de nabijheid van het lijk van mevrouw Dupotier ongetwijfeld de haartjes zijn gaan tellen die uit de oren van de weduwnaar staken. In de donkere kamer vol nutteloze voorwerpen waarvan haast niets meer gebruikt werd en die door vettigheid en verwaarlozing vastgekoekt zaten, zou ik luidruchtig mijn neus opgehaald hebben, onpasselijk geworden door de walgelijke lucht van dit appartement waar de ramen zorgvuldig dichtgehouden werden uit vrees voor tocht. Het stonk er vreselijk.

Toentertijd was ik nog nooit bij hen binnen geweest, maar elke keer als ze de deur opendeden en ik er ongelukkigerwijs langsliep, sloeg een weeë geur me op de keel. Ik kon me niet bedwingen er een masochistisch en kinderlijk genoegen aan te beleven wat me inspireerde op zoek te gaan naar de bestanddelen van deze smerige stank. Ranzige saus, in kookvocht drijvende preien, overrijp fruit, wasgoed dat ligt te wachten op een onvoorziene wasbeurt en vol zit met bolletjes naftaline. Dat alles en nog meer van dit soort met vet doordrenkte troep, gedoemd tot langzame ontbinding.

'Ik kan niet', antwoordde ik zielig. 'De baby wordt zo wakker.'

Dat was niet waar. Moïse was nog maar net in slaap gevallen.

'Als je wilt, pas ik wel op hem', zei Simone.

Hoe moest ik dit weigeren? Je baby meegeven – dat besefte ik snel – getuigde van tederheid en vriendschap en was tevens een tastbaar bewijs van edelmoedigheid en geestkracht, gevoelens die ik hartstochtelijk zocht als excuses voor de gebreken waar ik niet voor uitkwam. Je baby meegeven droeg ertoe bij je sociale contacten te versterken en soms zelfs aan te knopen. Deze woorden hamerde ik me tenminste in om mijn terughoudendheid te overwinnen.

Nog een verhaal over geur. Als Moïse langer dan drie minuten in andermans armen lag, kreeg ik hem heel anders terug. Hij rook naar tante Die of oom Dinges. Als zijn peetoom Eloi met de zware rossige baard zich van hem meester maakte, had ik even de tijd nodig om het idee kwijt te raken dat mijn baby ook een baard had, zo erg liet de welwillende reus zijn sporen na op het gladde schedeltje. Daarom verwelkomde ik met een verborgen glimlach de huilbuien die het contact met vreemden bij mijn zoon teweegbracht. Vergis u niet, de reden voor mijn blijdschap was niet gebaseerd op het feit dat anderen afgewezen werden. Mijn geluk was geheel en al van lichamelijke aard. Zodra

Moïse begon te schreeuwen, kwam er een laagje zweet op zijn hoofd dat hem meteen zijn heerlijke geur, zijn onvergelijkbare lucht teruggaf.

Moïse met de geur van de naar wijn ruikende adem van Simone, gestreeld door de met nicotine bevlekte vingers, gewiegd tegen haar boezem, haar betoverende boezem die voor haar dienst deed als bergplaats, als wollen sok, als naaikistje. Dat leek onherstelbaar. Wie weet wat er schuilging in de diepe plooi tussen haar borsten?

De telefoon ging en toen ik de deur sloot voor een Simone die meer begrip toonde dan ik verwacht zou hebben, betrapte ik mezelf erop een god te danken in wie ik echter niet geloofde.

3

Een mooie stad

Er zijn drie jaar voorbij. Ik heb een tweede kind, een nieuwe baby die Nestor heet en precies hetzelfde ruikt als Julien. Deze toevalligheid vind ik fantastisch. Ik werk iedere ochtend van negen tot twaalf aan de vertaling van het werk van een theoretica uit een vernieuwende stroming binnen de anglicaanse kerk. Ik begrijp zo goed als niets van de Franse zinnen die het scherm van mijn computer vullen, maar ik weet dat ze kloppen, omdat ik geen problemen heb met het Engels. Het is net alsof ik, over helder water gebogen, een school vissen voorbij zie komen waarvan ik een seconde daarvoor niet wist dat ze bestonden, maar die ik uit de losse hand zou kunnen tekenen zonder het kleinste detail, het subtielste kleurverschil, weg te laten.

Mijn man is in Caen, voor zijn eerste echte klus; een aanbouw bij de gemeentelijke bibliotheek, die hij laat ontspringen uit een met gras bedekte heuvel. Het zal een wit complex zijn, laag, lang en dakpansgewijs opgestapeld. Hij heeft me laten zien hoe dat eruit ziet door een model te maken van lucifersdoosjes. Ik

heb geapplaudisseerd. Aan de zijkant hebben we een spotje gezet dat de zon moest voorstellen en ik hield mijn vingers als wol-
ken in de lichtbundel.

'In werkelijkheid zal het wel niet zo mooi worden', zei hij.

Julien is altijd een beetje somber. Hij bereidt zich voor op een
nederlaag, en dat is juist zijn kracht. Bij hem voel ik me veilig,
omdat ik weet dat het leven nooit zo erg is als in zijn nachtmer-
ries.

Misschien heb ik het mis.

Ik stel me hem voor met zijn oranje helm die zijn ponykapsel
op zijn ogen drukt. De eerste dagen zijn het moeilijkst. De op-
zichters nemen hem niet serieus. Wat Julien ook doet — zonder
twijfel als gevolg van een vervloeking van een fee of een tover-
heks — hij lijkt altijd iemand van een jaar of veertien.

Ik mis hem, maar ik profiteer van zijn afwezigheid om mijn
dagdromen de vrije loop te laten. Ik maak het me gemakkelijk,
ik luister naar simpele liedjes en ik pingel bij de winkeliers op
de boulevard de vetrandjes van de prijs af.

Die is in drie jaar behoorlijk veranderd. De boulevard bedoel
ik.

Toen wij hier aankwamen was het een sombere straat, bezaaid
met papier en kroonkurken, her en der kapotte koelkasten, op-
gehoogd door roestige trommels van ouderwetse wasmachines.
Een bevlekt matras kwam die wisselende expositie soms aanvul-
len. De uitstalling van die voorwerpen stemde me droevig. Ik
dacht aan de mensen die ze gebruikt hadden, totdat ze echt niet

meer te gebruiken waren. Ik zag alleen maar moeizame en sombere levens. IJzeren rolluiken waren voor de door faillissement gesloten winkels getrokken. Obscure kroegen met smalle zaaltjes die door verwaarlozing donker waren geworden, ontvingen werklozen, Arabische heren die het blauw van hun overalls hadden ingeruild voor kleren van Chinese snit, *made in Shanghai*. Ogen gingen spiedend rond; in die van de kooplui uit de Auvergne die het hoofd boven water probeerden te houden stond haatdragende wrok te lezen, in die van de immigranten angst en toch ook waardigheid, waarvan kranten melding maakten alsof het ging over iets wat je zou moeten verbazen, over een goedkoop sieraad, iets wat je niet zou verwachten en dat een bijna decoratieve kracht bezat als je erover las.

Ik ging op pantoffels naar buiten en – waarom ook niet – in ochtendjas, want ik was, wat mij betreft, immuun voor blikken en oordelen. Ik was een buitenstaander. Angstvallige getuige van vechtpartijtjes die aan mij voorbijgingen, van woedeaanvallen over en weer, van moordneigingen die dwars door mijn ziel gingen. Ik trok het wagentje achter me aan, mijn eerste nieuwgeborene op mijn buik, zodat hij alles in de gaten kon houden. Ik hoorde alles: 'We hebben er al genoeg van dat soort in de wijk', 'Ze laten hun zwartjes ook overal maar lopen', 'Met die Chinezen heb ik nooit problemen gehad, maar wel met die anderen.' Zou ik lang kunnen doorgaan met struisvogel spelen? Kop in het zand, mijn favoriete sport. Maar er was geen zand op de boulevard.

Het was me al een paar keer overkomen dat ik een kilo toma-
ten liet liggen op de toonbank van de winkel 'Producten uit eigen tuin', omdat er een vunzig woord tussen de vette hangwangen van de winkelier vandaan kwam.

Geen enkel ander wapenfeit op rekening van je heldhaftige
verzet, dappere Sonia?

Ik ben bang van niet. Ik voelde een angstaanjagend geweld,
een ontroostbaar verdriet, een oneindige berusting en ik wist
maar één ding te doen: denken aan toen ik klein was, dat het
toen minder erg was, en dat ik bij het wakker worden in ieder
geval alleen maar weet had van de strelingen van mijn moeder.

Op de dagen van de verkiezingen verhief de gietijzeren put-
deksel die op m'n schedel drukte zich enkele centimeters. Drib-
belend stak ik de speelplaats van de verlaten school over, alsof
het een tempel van geluk, het laatste toevluchtsoord van wijs-
heid betrof. En daarna viel de deksel terug, soms zwaarder dan
anders.

'Maar waar geloof je dan in?' vraagt Julien me.

Ik geloof in het geluk, maar dat durf ik hem niet te zeggen,
want ik weet, deze keer ook weer, dat mijn lafheid aan het
woord is.

's Zomers was het anders. De teenslippers van de Malinezen
bleken eindelijk van pas te komen. Ik hoefde niet bang meer te
zijn dat ze wintertenen zouden krijgen. Zij waren de enigen in
de wijk die je het dankzij de zon en de warmte niet kwalijk kon
nemen dat ze niets uitvoerden. Wat kun je beter doen dan een

klapstoeltje neerzetten op het brede trottoir en *L'Equipe* lezen in de schaduw van de acacia's met hun zachtgroene bladeren? Een licht briesje strijkt langs de buigzame twijgen, en je waant de zee beneden je. Het kwik hoeft maar naar de twintig graden te gaan om te denken dat je in Marseille bent. De kinderen die op straat speelden, zagen er niet meer zo verwaarloosd uit, ze waren vrij en het tekort aan sokken was een zegen geworden. Iedere keer als ik naar het centrum afdaalde, had ik medelijden met de knulletjes in hun bermuda's en dichtgeregen schoentjes, met de meisjes op laksandaaltjes en in jurken die tot aan hun nek dichtzaten, met de warm ingepakte baby's die huilden in hun buggy's waarvan de verkeerd gerichte parasol hen niet beschermde tegen de grote hitte.

Maar, zoals ik u al zei, is de boulevard in drie jaar behoorlijk veranderd. Ik zou niet precies een datum kunnen noemen. De eerste tekenen gingen onopgemerkt voorbij. Op een ochtend was ik niet meer alleen op het terras van de Bar des Alouettes. Verlegen sloeg ik mijn ogen op naar nieuwe klanten. Meer *Libération* dan *Le Parisien*, niet alleen maar koffie maar ook broodjes, veel te ruime spijkerbroeken en open overhemden over versleten T-shirts, heel dure sportschoenen, glimlachjes van vredige, verlichte geesten die zich alleen maar in alle rust bezighielden met hun eigen ontplooiing. Vaak liggen een schrift en een pen op de witte plastic tafel in de weg. Het zijn schrijvers, scenarioschrijvers. De meisjes zijn ongelooflijk mooi. Ik vraag me af wat er met hun lichaam aan de hand is. Iets nieuws. Ze hebben grote borsten en gestroomlijnde dijen die precies aansluiten op hun smalle heupen. Het zijn actrices. En wat hebben ze een *big smile*. Van oor tot oor. Hun armen woelen uitdagend rond hun gezicht. Hun ogen rollen, draaien en sluiten zich. Ze doen alsof ze niet door hebben dat er een camera is, behalve als er geen camera is. Ze praten hard en maken grappige opmerkingen waar de dweperige jongens met hun benen op de stoel tegenover hen om moeten lachen, *cool*, erg *cool*. Ik heb het gevoel dat ik negentig ben. Ik heb mijn bezoeken aan de Bar des Alouettes stopgezet. Ik drink mijn koffie thuis, nadat ik Moïse naar school heb gebracht.

Twee jaar later zat ik in een tijdschrift een artikel over de verandering in de wijk te lezen. Ten gevolge van de sterk gedaalde huizenprijzen in de arrondissementen aan de rand van Parijs nestelen jongeren zich verder van het centrum. Een sympathiek en kleurrijk volkje vrolijkt de avonden in Belleville op, waar de terrassen niet voor twee uur 's nachts leeglopen. Zoals zo vaak kost het me moeite om te weten wat ik ervan vind.

Ik vraag me af hoe anderen dat doen. Vanaf het moment dat zich een mening in mijn geest vormt, organiseert een zwaarbewapende brigade zenuwcellen een tegenoffensief. Ik kan het alleen maar constateren. Ik ben me ervan bewust dat de atmosfeer op bepaalde dagen stremt als een kom melk waarin je een druppel citroensap laat vallen.

Ik neem aan dat ze dat bedoelen met samenleven. Ik weet niet waarom, maar ik raak er volledig door uit mijn evenwicht. Ongetwijfeld omdat het me moeilijk valt te beslissen tot welke groep ik behoor, om de kleinste gemeenschappelijke deler te herkennen. Ik ondervind hier meestal alleen maar de tragiek van het niet begrepen worden. Op dat gebied voel ik me als een bal die van hand tot hand gaat, aangegeven, aangepakt en daarna weer doorgegeven. Ik begrijp het, ja ik begrijp alles en ik begrijp ze allemaal: de Fransen omdat ik Balzac, Victor Hugo en Flaubert gelezen heb, de Arabieren omdat ik in slaap ben gewiegd door de stem van Oemm Kalsoem, de Vietnamezen omdat ik in hen voor een deel het verdriet van volkerenmoord herken, de joden omdat ik er zelf een ben, de katholieken dankzij Flannery O'Connor. Ik identificeer me met ieder van hen zonder me er ooit bij thuis of bij op mijn gemak te voelen. Ze zijn voor mij allemaal vreemd en vertrouwd tegelijk, want ik ben niet helemaal Frans, evenmin Arabisch, zeker niet Vietnamees, heel weinig joods en nog minder katholiek. Ik blijf in de marge. Ik lach erom zonder de onmogelijke verzoening te verwachten. Ik lach erom zoals op de dag waarop ik me in de apotheek zowel in de huid bevond van twee jesjivastudenten als in die van een bizarre grote schoonheid, die in de verte rook naar de gebakken lucht die de Parijse mode nu eenmaal is.

De apotheek is bomvol. De klanten wippen van de ene voet op de ander om niet stijf te worden. Het helpt niet, want behalve de warmte die in de winkel heerst, doen ze het bijna in hun broek uit angst dat iemand zal voorkruipen. Ze houden elkaar in de gaten, ze werpen elkaar ogenschijnlijk vriendelijke, maar

in wezen argwanende blikken toe. Bij de toonbank komen tegelijk twee joodse studenten en een vrouw met golvend haar aan.
Aan de andere kant van de toonbank vragen twee afgematte apo-
thekeressen waarmee ze hen van dienst kunnen zijn. De twee
jonge religieuze joden spreken slecht Frans; het duurt lang en
het is vervelend voor de wachtenden. Ik voel een antisemitische
golf in de rijen opkomen. Onder elkaar spreken ze daarentegen
prachtig Engels en ik vind het heerlijk om naar hen te luisteren.
Ik sta op het punt om me in de onderhandelingen te mengen als
mijn aandacht wordt getrokken door de andere klant, die met
de weelderige, golvende haardos. De apothekeres vraagt haar of
ze niet te veel last heeft van de warmte. Het is zonder twijfel een
vaste klant van wie ze het recept niet kunnen afhandelen zonder
een poging te doen om een gesprek aan te knopen. De vrouw
met de prachtige haren denkt even na voordat ze antwoordt. Ik
hang – ik weet niet waarom – aan haar lippen. Als ik op dit moment een van mijn lotgenoten omver moest lopen om beter te
kunnen luisteren, zou ik geen moment aarzelen. En ik heb gelijk, want als ze spreekt ben ik niet teleurgesteld. Ze zegt: 'Van
de warmte heb ik geen last. Ik heb geleerd om die te verdragen.
De beken van zweet die langs mijn hele lijf stromen, hinderen
me nauwelijks. Ze doen gewoon hun plicht.' De apothekeres
glimlacht beschaamd naar haar. Zoiets heeft ze nog nooit gehoord. 'Beken van zweet', wat kan daarmee bedoeld zijn? Maar
ik ben ervan overtuigd dat de twee religieuze joden heel goed
begrijpen waar dat op slaat. Op de eerste plaats omdat ze ver-

trouwd zijn met dit soort waterlopen, vanwege de manier waarop ze gekleed zijn: een ritueel onderhemd met franjes, een tot hun kin gesloten overhemd, een zwart jasje en een lange wollen overjas. Maar ook omdat ze door hun levenswijze – waarbij ze zich allerlei dingen moeten ontzeggen – een snelle verbeelding en een scherp oor voor verlangens hebben. Ik leef niet in onthouding en draag kleding met blote ruggen. Ik ben in vervoering geraakt door deze zin. Ik voel de beken van zweet langs mijn hele lijf stromen en ik vind het heerlijk. Ik weet niet hoe ik die Parisienne met die gekke haren die me dit heerlijke moment heeft bezorgd, moet bedanken.

Ik zei dus dat ik het me gemakkelijk maakte. Op de binnenplaats van de kleuterschool zingt Moïse in kleermakerszit 'Une poule sur un mur', terwijl Nestor met half gesloten ogen knuffelbaar in mijn armen onduidelijk gedrein produceert. Door het raam kijk ik naar de nog nooit gesnoeide bolacacia op de binnenplaats.

Meneer Creton, onze buurman van de vierde, voorzitter van de vereniging van huiseigenaren, had zijn bijdrage geleverd aan het rooien van de honderdjarige kastanjeboom, die volgens hem onze appartementen versomberde door zijn dikke bladerdek. 'Een bolacacia is beschaafder en in ieder geval in de hand te houden. Hij zal nooit verder komen dan de eerste verdieping.' De dag van het rooien was het verstikkend warm en toen de bulldozer de stronk tussen zijn kaken gekraakt had om het werk van de zagen te voltooien, had het hart van de boom een droevig gehuil voortgebracht. Ik had er tranen van in mijn ogen gekregen.

Nu troost ik me met de constatering hoe onbenullig de verwachtingen van onze dierbare buurman waren. De bolacacia, die aardige kleine dwergboom, doorgeschoten door god weet welke vegetatieve hoogmoed, heeft de tweede etage al bereikt en zijn tomeloze takken kietelen al aan het smeedijzeren hek van mijn balkon op de eerste.

Ik feliciteer mezelf met dit subtiele verzet en terwijl ik al denk aan het verslag dat ik erover zal doen in mijn eerste brief aan mijn lieve banneling, gaat de bel. Ik leg Nestor in zijn wieg, let erop dat ik hem niet wakker maak en ga langzaam naar de deur, ondertussen dromend van een prachtige verrassing: een boeket rozen uit Caen, een cheque van mijn uitgever...

Het is meneer Dupotier.

In een streepjespyjama, recht tegenover mij en mager als een reiger, ziet hij er verward uit. Zijn tegen elkaar gedrukte handen beven; zijn hoofd schommelt vervaarlijk.

'Ik heb mijn zoon verloren', zegt hij.

Ik wist niet dat hij er een had. Het klinkt als hallo/ tot ziens, maar dan droeviger. Hij staart me met grote ogen onbeweeglijk aan, en ik vraag me af of hij langzamerhand de kluts niet kwijtraakt. Vaag kende ik zijn levensloop. Hij is de broer van de architect die ons pand heeft ontworpen en hij heeft er altijd gewoond. Op zijn vijfentwintigste erfde hij de drogisterij in de rue de Ménilmontant, die ik altijd dichtgemetseld gekend heb. Het was een klein huisje met een puntdak, rechtstreeks uit een kinderboek. Op de voorgevel, boven de met stenen dichtgemet-selde ramen stond in een boog het verouderde opschrift VERF-HANDELAAR. Zijn hele leven had meneer Dupotier kleurloos en met verkreukelde oogleden verf verkocht. Even stelde ik me wijlen mevrouw Dupotier voor achter de kassa, met op haar hoofd nog de mooie haren die ze later zou verliezen. Ze telt bankbiljetten met haar lange knokige handen en laat munten in de la van de kassa rinkelen, terwijl haar echtgenoot de blikken verf tot het plafond opstapelt. Nooit had ik me kunnen inden-ken dat ze een nakomeling zouden hebben. Ongetwijfeld is dat de reden waarom de dood van Noiraud mij zo van slag bracht. Toen de hond was gestorven, zei ik tegen mezelf dat dat het droevigste was wat hen kon overkomen.

'Hoe oud was hij?' vroeg ik, meer om een reactie bij de apathi-sche grijsaard op te roepen dan uit nieuwsgierigheid.

'Zestig jaar, mevrouwtje. Hij heeft een beroerte gehad.' Ik wilde dat Julien onmiddellijk terugkwam, dat hij naast mij uit de grond zou oprijzen om de situatie onder controle te krijgen. Omdat hij altijd voorbereid is op de meest uiteenlopende ram-pen, zou hij ongetwijfeld het juiste woord gekozen hebben.

Mijn optimisme kon hier niets mee beginnen.

'Kom,' zei ik, 'ik zal u naar huis brengen.'

Ik nam meneer Dupotier bij de arm. Nadat ik gecontroleerd had of de sleutels van mijn appartement veilig diep in mijn zak zaten, sloot ik de deur, en bad dat Nestor niet wakker zou wor-den.

Met de snelheid van een begrafenisstoet zijn we door het trappenhuis gelopen. Het hoofd van meneer Dupotier schommelde heen en weer. Met angst in mijn lijf ben ik het huis van de buurman binnengedrongen, alsof ik plotseling in de schoenen stond van de vrouw van Blauwbaard op de drempel van het verboden vertrek. Tussen deze kleurloze muren, in de stille verlatenheid tussen tapijten, in de door smerige gordijnen gefilterde zonnestralen had de dood besloten weer eens toe te slaan.

Ik wist dat hun zoon niet bij zijn ouders woonde, maar ik kon niet voorkomen dat ik bij iedere deur die we passeerden, vreesde zijn geest tegen te komen. Zonder te weten wie van ons tweeën de ander leidde, belandden we in de slaapkamer. Een gigantisch donkerkleurig houten bed, ordeloos bezaaid met dekbedden en ineen gedraaide lakens vulde bijna het hele vertrek. Meneer Dupotier ging languit liggen. Ik hielp hem zijn voeten erop te leggen, zonder de moed te hebben zijn sloffen uit te trekken en ik vroeg me af of ook hij had besloten ermee te stoppen. Stel je voor dat hij ogenblikkelijk zou sterven, wat moest ik dan doen? Zijn ogen sluiten, zoals op de televisie?

'Ik heb het koud', zei hij met een zwakke stem.

Ik viste een deken uit de stapel en dekte zijn lichaam toe.

'Wilt u mijn verwarming niet aansteken?'

'Het is juni, meneer Dupotier.'

Had ik werkelijk niets beters te zeggen? Niets troostenders?

'Oh, wat heb ik het koud.'

Ik liet hem even alleen om naar de keuken te gaan. Zijn appartement was een getrouwe kopie van het mijne. Behalve dat bij mij de lucht fris was, de muren wit en de houten vloer goudbruin.

De keuken was erger dan de rest. Toen ik de deur openduwde, meende een leger kakkerlakken zich te moeten terugtrekken alvorens zich over te geven. Bij hen – wat is het vreemd om je in te leven in een kakkerlak! Maar zoals ik me toen voelde, gaf dat een beetje afleiding – bij hen, zoals ik zei, streed het vluchtinstinct met het inzicht in de situatie: geen gevaar te duchten van een halfblinde grijsaard die ze al sinds lange tijd aanzag voor een behangmotief. De beestjes waren zeker niet slim genoeg om zich te realiseren dat ik het was, die grote gestalte aan de gootsteen, maar dat maakte geen enkel verschil. Ik schrok meer van de kleinste voelspriet dan zij van vijftig spuitbussen Baygon.

Ik maakte mezelf wijs dat het gekrioel van kakkerlakken niet bestond en daardoor durfde ik mijn arm uit te strekken naar de knoppen van de verwarmingsketel. De schakelaar, die versierd was met een vlam, was zo plakkerig dat ik ervan kokhalsde. Ik wendde mijn hoofd af terwijl mijn vingers vol afkeer de lange schroef om zijn as lieten draaien. Hoe kon ik vermoeden dat juist daarnaast, ietsje lager, op de plaats waarop ik mijn blik gevestigd had om te voorkomen dat de walging me te veel werd, een stapel smerige vaat stond? Het geheel was overwegend groenachtig van kleur, etensresten waren in een spons blijven plakken die geprobeerd had de boel de baas te worden; een grijze sluier hield het geheel bij elkaar in een sculpturaal voortbestaan.

Ik had het daarbij moeten laten, dat had gekund. De knop voor de gastoevoer indrukken, het apparaatje voor de vonkjes in werking stellen en er zo ver mogelijk vandaan vluchten zonder te wachten, al was het maar naar mijn eigen appartement, mijn eigen schone appartement dat alleen maar leven en eventuele boeketten kon ontvangen. Ik zou – dat moet ik toegeven – de oude man aan zijn lot hebben overgelaten. Maar wat kon ik, behalve zijn verwarmingsketel aansteken, voor hem doen? Ik zou zijn taaltje moeten gaan spreken: 'Meneertje, wat is u nou toch overkomen? Dat is toch wel heel erg. Uw brave hondje, en daarna uw dierbare vrouw en nu uw jongen. Dat is nog eens tegenslag.'

Ik ben dus in de keuken gebleven en ik heb gedaan wat ik niet had moeten doen. Terwijl ik mijn neusgaten opende, die ik tot dat moment hermetisch had gesloten, haalde ik diep adem, mijn ogen gefixeerd op de kopergroene rotzooi.

Ik overdrijf niet als ik zeg dat ik bijna stikte. Ik vroeg me af of het niet door de stank kwam dat de een na de ander gestorven was.

Een blauw vlammetje verhief zich in de opening van de verwarmingsketel en ik liet de knop los om de keuken uit te rennen. Ik moest vooral niet flauwvallen. Als een plas smeerolie dreef een zwarte vlek voor mijn ogen. Mijn knieën knikten en mijn hart bonkte. Ik had er spijt van dat ik dit gezien had en dat ik deze stank had opgesnoven. Wat voor zin had mijn bestaan, dat van dit hier gescheiden werd door een twintig centimeter dunne muur? Wat had het voor zin om pannen te schuren, om lakens te wassen als op dezelfde overloop, onder hetzelfde dak, een soortgelijk levend wezen als ik hongerig lag te marineren in een schaal die tot de rand toe gevuld was met ongedierte?

Diezelfde avond probeerde ik Julien in meelijwekkende verwarring duidelijk te maken hoe ontredderd ik was. Ik was vreselijk geweest voor de kinderen. Moïse, die zijn bord met puree opzij had geschoven, zag het dwars door de keuken vliegen. Nestor, die geschrokken was van het lawaai van het bord tegen de muur, was in tranen uitgebarsten voordat hij naar bed werd gestuurd zonder dat hij zijn zuigfles had leeggedronken. Ze sliepen nu ineengedoken in hun bed, terwijl hun rug naschokte van de snikken waarmee ze tot bedaren kwamen. Ik had hen ten onrechte op hun donder gegeven en ik kookte van woede, waarmee ik hun verontwaardiging deelde over de wrede buien van mijn eigen ouders die ik me herinnerde als de dag van gisteren.

'Zo kan ik niet leven', zei ik tegen Julien. 'Ik zou willen veranderen in een termiet.'

'Wat zeg je me nou?'

'Insecten zijn duizend keer verstandiger dan wij. Zij kennen geen onrecht. Ze helpen elkaar en streven hetzelfde doel na. Ze werken allemaal voor het welzijn van hun groep.'

'Als jij een termiet was,' antwoordde Julien lief, 'zou ik niet van je kunnen houden.'

Ik moest toegeven dat hij meer verstand had van het leven van dieren dan ik.

'Als jij een termiet was,' herhaalde hij, 'zou jij de vruchtbare koningin zijn en ik zou de onvruchtbare werker zijn die alleen maar hoeft te zorgen voor de bouw van een degelijke termietenheuvel. We kunnen onszelf niet opnieuw maken. Ik ben in de wieg gelegd om huizen te bouwen.'

'Oké, geen termiet, als jij dat niet wilt. Wolven dan. Waarom zijn we geen wolven?'

'Als ik een wolf was, zou ik dertien vrouwen hebben en ik denk niet dat jij daar blij mee zou zijn.'

'Ik maak geen grapje.'

'Ik ook niet. Ik probeer je alleen duidelijk te maken dat als je liefde wilt – en je hebt altijd gezegd dat je dat wilde – je geen rechtvaardigheid kunt verlangen.'

'Waarom moet er dan ellende zijn?'

'Waarom moet het nacht zijn? Zo zit de wereld nou eenmaal in elkaar.'

'Jij hebt geen gevoel.'

'Dat is dan jammer.'

4

Het vette varken

Het is vandaag al de vijfde keer dat meneer Dupotier aanbelt. Ik doe de deur open en onderdruk een moordneiging. Waarom klampt hij zich zo vast? Hij heeft niets meer. Zijn enige bezigheid is in de gaten houden wanneer ik thuiskom en wegga om het geknor van zijn maag daarop af te stemmen. Van 's morgens vroeg tot 's avonds laat.

'Hebt u misschien iets voor me te eten?'

Ik zoek een aangebroken pak biscuitjes en geef hem dat met een schijnheilige glimlach.

'Dank u wel, mevrouwtje', zegt hij met zijn zwakke stem. 'Ik weet niet wat ik zonder u zou moeten beginnen.'

Terwijl ik mijn hoofd schud, denk ik: U zou creperen, maar ik toon meer een blik van: dat is heel normaal toch, buren onder elkaar.

Ik zou hem wat anders moeten geven dan koekjes en chocolade, iets anders dan de stukken brood en de croissants waar de kinderen al van gegeten hadden. Soep heeft hij nodig, kippenvlees, een fruithapje en verse zuivelproducten. Maar als ik me eenmaal op dat hellende vlak begeef, glijd ik naar beneden. Dat is onvermijdelijk. Ik zal hem bij mij aan tafel uitnodigen, ik zal hem in huis opnemen. Hij komt er weer bovenop en zal een aureool voor me vlechten.

Ik zal nooit goedvinden dat hij binnenkomt. Deze stelregel leverde me één seconde bewonderende verbazing van de kant van Julien op. Ik zou niet kunnen zeggen waar dat dwingende besef van grenzen, van duidelijke territoriumafbakening, vandaan kwam. Meneer Dupotier moet in geen geval over de drempel van onze woning komen.

De kinderen maken vanuit het halletje gebaren naar hem. Ze zijn stapelgek op hem. Ze zeggen 'Dag meneer Dupotier' met hun lieve stemmetjes; zo beleefd zijn ze nooit. Hij is de enige volwassene die erin slaagt om deze vorm van respect bij hen op te wekken. Nestor, die begint te praten, haalt het onderste uit de kast van zijn spraakvermogen om met de hardhorende bejaarde van gedachten te wisselen. Het is ontroerend. Ik voel er een bijna ondraaglijke trots bij.

En voor de rest, ik bedoel mijn krenterigheid, probeer ik er niet te veel aan te denken. Ik ben een jonge, drukbezette vrouw. Ik heb een baan, ik heb twee kinderen. Excuses genoeg. Iedere keer als ik met vrienden en familie over mijn hongerlijdende buurman praat, laat iedereen een vertederde blik op mij rusten, vol bewondering en waardering. Als zij de maagd Maria voor zich zouden hebben gehad, zouden ze niet meer onder de indruk zijn geweest. Ik lees in hun ogen de bewondering die ze voor me hebben. In hun zwijgen hoor ik de zinnen die hun schaamte hun belet uit te spreken; 'Jij bent zo goed, zijn enige toevlucht en zelfs zijn enige vreugde.'

Ik zorg er wel voor dat ik mijn bewonderaars niet vertel dat ik het alleen maar over mijn hart kan verkrijgen om hem restjes te geven, suikerzoete hapjes vol chemische producten die de paar tanden die hij nog heeft bederven en langzaam zijn spijsverteringsstelsel afbreken dat al zwaar op de proef gesteld wordt door de kleine maaltijden die Simone iedere dag voor hem klaarmaakt.

Want zo is het geregeld. De enige erfgename van Dupotier, niemand anders dan de weduwe van zijn twee jaar eerder overleden zoon, heeft de conciërge opgedragen tegen betaling van een schamele maandelijkse toelage voor het eten van de bejaarde te zorgen. Om elf uur brengt Simone een kopje koffie met melk en een gesmeerd broodje. Om zeven uur 's avonds is er óf kabeljauw met puree, óf een stukje varkensvlees met spinazie. Het ruikt altijd vreselijk vies en het drijft in geheimzinnig vocht, karig en treurig.

Ik vraag me soms af waarom meneer Dupotier geen boodschappen doet. Hij is nog tamelijk goed ter been. Hij zou zelfs in een restaurant kunnen gaan eten, want hij heeft geld genoeg.

Maar als het licht wordt, wacht hij, weggedoken onder zijn dekbed en kijkend naar de klok. Om zes uur doet hij zijn ogen open. Hij weet dat hij nog vijf uur geduld moet hebben voor het ontbijt komt. Ik weet niet waaraan hij denkt, wat voor dromen zijn nacht bevolkt hebben. Tegen negenen, nadat de kinderen naar school zijn gebracht, eten Julien en ik croissantjes en lezen de krant. Iedere dag belt meneer Dupotier rond dat tijdstip voor de eerste keer aan.

Hij is in pyjama, verwilderd, zijn lange vingers in dagelijks gebed ineengestrengeld. Aan het eind van een soort zwijgend overleg staat Julien soms op om open te doen, een half stokbrood in zijn hand.

'Pak aan meneer. Alstublieft. Het is niks bijzonders.'

Wij spreken er samen nooit over. De kwestie van het waarom is al duizend keer aan de orde geweest. Het is ons zelfs wel eens overkomen dat we over zijn toekomst mijmerden. We vroegen ons af of het niet beter zou zijn als hij naar een bejaardenhuis zou gaan. Maar de apothekeres die niet alleen van medicijnen, maar van veel dingen iets weet, zei op een dag tegen me: 'Als hij zijn huis uit moet, is hij binnen een week dood. Zijn appartement is alles wat hij nog heeft. Het is net alsof je een zieke plant verpot. Hij zal niet genoeg kracht meer hebben om nieuwe wortels te maken.'

De wortels van meneer Dupotier. Ik stel ze me voor als wit en draderig, langs de poten van zijn bed kronkelend, door de planken vloer gravend, moeizaam door het pleisterwerk en de balken en aan het eind van hun krachten, naar de kelder waar het ruist van lekkages, krioelt van insecten en ratten, naar de aarde eronder waar ze zich vastklampen met het uiteinde van microscopisch kleine en broze klauwen.

Enkele dagen later is hij er weer. Gewoonlijk doet hij tussen twaalf en twee zijn middagdutje. Het is half twee en meneer Dupotier heeft zijn tijdstip heel slecht gekozen. Wanhopig doorloop ik de kolommen van het woordenboek.

Waarom staat het woord dat ik zoek nooit in het woordenboek? Ik herlees de zin en ik begrijp de betekenis ervan. Ik voel het zo goed aan dat ik er een lied van zou kunnen maken. Maar op een bepaald woord kan ik niet komen. Het ligt op het puntje van mijn tong. Ik draai er omheen. Ik herlees de betekenissen die het dikke rode boek suggereert en ik vind er slechts korte, onnauwkeurige zelfstandige naamwoorden. De woorden stellen me teleur en dat is niet voor het eerst.

Op dit soort dagen werk ik slecht. Ik ben boos omdat ik de tekst die ik vertaal, het verslag van de reis van een Engelse etnoloog door Polynesië, zelf had willen schrijven. Ik ben het beu om in de schoenen van anderen te stappen. Ik zou me in mijn eigen woorden willen uitdrukken. Spreken over alle dingen die mijn ogen en hersenen binnendringen en waarvan ik niet weet wat ik ermee moet. Ik denk erover om gedichten te schrijven. Zodra ik ver van huis ben, op duizenden kilometers van pen en computer, schrijf ik versregels en strofen. Woorden die ik nooit gebruik dringen zich aan mij op, wendingen waar ik geen greep op heb rijgen zich aaneen tot systemen van gekunstelde klanken.

Volledige taferelen spelen zich af. Mensen – personages moet ik zeggen – houden binnen in mij gesprekken. Vrijpartijen spelen zich af op keurig geschoren gazons. In een roes ga ik naar huis. Als Julien vraagt wat ik vandaag gedaan heb, weet ik niet wat ik moet zeggen. Ik zou het liefst zeggen: 'Ik heb inspiratie opgedaan', maar daar schaam ik me voor. Ik zeg gewoon dat ik nagedacht heb. Ik ben dankbaar voor de blik die hij op me richt. Een blik van medeplichtigheid. Hij houdt van denken zoals anderen van jagen. Dat is zijn passie. 's Nachts droomt hij ervan. Hij neemt me in zijn armen, ademt op mijn voorhoofd, op mijn haarwortels alsof hij op zoek is naar de geur van de uitwaseming van mijn ideeën. Hij laat me los en geeft me een plaagstoot op mijn wang, wat betekent: jij bent mijn sparringpartner.

Ik schuif mijn stoel wild achteruit waardoor deze wankelt en met een hoop lawaai omvalt. Ik loop de gang door. In het voorbijgaan graai ik een zak chips die is blijven slingeren van het tafeltje en in dezelfde beweging open ik de deur en bied hem het zakje aan.

Meneer Dupotier heeft zijn hoofd in zijn handen.

Als hij de chips ziet, schudt hij zijn hoofd.

'Daar gaat het niet om,' zegt hij, 'daar gaat het niet om.'

Ik denk dat hem niets meer kan overkomen, dat hij het ergste overleefd heeft.

'Wat is er dan?'

'Hij heeft me geslagen.'

Het vette varken. Ik maak hem van kant.

'Vanmorgen is hij gekomen. Hij zei tegen me dat ik problemen met hem zou krijgen als ik me niet zou scheren.'

Ik zie grijze en witte stoppeltjes op de wangen en de kin van
mijn buurman.

'En toen?'

'Toen heeft hij me geslagen.'

'Hebt u ergens pijn?'

'Nee.'

'Ga maar naar huis, meneer Dupotier. Ik zal er eens werk van
maken.'

'Gaat u het voor me opnemen?'

'Ja, ik ga het voor u opnemen.'

'Altijd?'

'Ja, altijd. Maakt u zich maar niet ongerust.'

Hij gaat weer naar huis. Hij gelooft me. Hij denkt dat ik hem
bescherm.

Het vette varken. Ik loop heen en weer in de kamer. Mijn oog
valt op het dikke woordenboek en ik vraag me af of een flinke
klap op zijn kop voldoende zal zijn om die bruut te vellen.

Hij is drie maanden geleden gekomen. Ik weet niet vanwaar,
ik weet niet hoe. Op een ochtend was hij er, zittend in de woning
van de conciërge met ontbloot bovenlichaam en in pyjama-
broek. Ik zie hem door de glazen deur. Hij is ontzaglijk groot.
Onderuit gezakt op zijn stoel als een zak meel, rookt hij een
shaggie, terwijl hij over zijn vette, kwabbige buik strijkt. Hij
heeft een vaalbleke kleur en dikke hangwangen. Hij loopt

schaamteloos te koop met zijn zware borst. Zijn schaarse, vette plakkerige haren zijn lang en naar achteren gekamd. Zijn kin steekt net zo naar voren als die van een buldog. Als ik hem de eerste keer zie, ken ik zijn ogen nog niet, heb ik nog nooit zijn blik gekruist maar kan ik wel vermoeden hoe bang ik ervoor zal zijn.

Ik heb gehoord dat het de broer van Simone is en dat ze hem een tijdje onderdak biedt. Hij heet meneer Pierre, maar al gauw hebben wij hem Simono genoemd; we zien hem meer als wild-groei van de conciërge dan als een volkomen op zichzelf staand persoon. Hij heeft een dolle hond die hij in zijn zij aait met ste-vige stokslagen en hij heeft een zilverkleurige revolver, een wa-pen dat rechtstreeks uit een western afkomstig is.

Op een ochtend, toen ik de vuilnisbak naar beneden bracht, hoorde ik schoten op de binnenplaats. Ik weet niet wat me be-zielde om de deur die naar het achterste gedeelte van het pand leidt, te openen. Het is een nieuwe vorm van moed die gelijke tred houdt met de groei van mijn kinderen. Mijn taak op aarde is hen te beschermen. Een schot in het flatgebouw betekent di-rect de dreiging van een verdwaalde kogel. Ik heb net zo lief dat die meteen mij treft, dan dat ik me voor moet stellen hoe hij in het voorhoofd van mijn schatjes verzeild raakt.

We staan tegenover elkaar, het vette varken en ik. Halfnaakt kijkt hij me aan, zijn pistool in de hand. Hij probeert het niet te verbergen. Sterker nog, hij loopt er eerder mee te koop, tame-lijk trots op zichzelf. Hij richt zijn ogen op mijn borst en op dat moment is het besef een vrouw te zijn ondraaglijk. Zijn groenige ogen zijn twee modderpoelen. Met zijn lamlendige en gluiperige trekken, met het voorkomen van iemand die in zijn beste dagen heel wat roetmoppen en spleetogen heeft vermoord, blijft hij met halfopen mond naar me loeren. Hij laat zijn blaffer van de ene naar de andere hand verhuizen en ik denk bij mezelf dat hij daarvoor het lef niet zou hebben gehad. Ten slotte had hij genoegen moeten nemen met het verraden van een paar joden, maar dat was al heel wat. De wetenschap dat zij verbrand werden, terwijl hij op een worst zat te kauwen, gaf hem al een weekendgevoel. Ik zou een onoverwinnelijke judoka willen zijn, de Kwaï Tchang Ken uit de Kung Fu-serie, een kleine draak in de stijl van Bruce Lee. Ik zou hem een trap voor zijn kaak willen geven, zijn hoofd afschroeven, zijn tanden eruit slaan, ik zou zijn keel willen doorsnijden en zien hoe hij als een kip zonder kop leegbloedt.

'Wat voer je uit?' vraag ik hem.

'Ik ben aan het oefenen', antwoordt hij.

'Dat is verboden.'

'Wat is verboden?'

'Dat schieten op de binnenplaats van een flat. Daar zouden ongelukken van kunnen komen.'

Hij komt op me af, zonder zijn blik af te wenden. Zijn enorme buik raakt me bijna. Zijn zweetlucht dringt mijn neusgaten binnen.

'Ik was vroeger bij de politie', zegt hij met een grijns op zijn lippen. 'Wist je dat niet, wijfie?'

Ik durf hem niet te zeggen wat ik denk: Vroeger, dat betekent dat ze je eruit gegooid hebben. Omdat je een rotzak was, een schande voor het vak. Mijn oude angst voor de politie komt weer boven. Mijn argumenten worden bedolven onder een lawine van aanklachten die op elk moment tegen mij ingebracht kunnen worden. Het scheelde weinig of ik zou mijn polsen uitsteken, zodat hij me in de boeien kon sluiten.

Ik smijt de deur voor zijn neus dicht. Ik hoor hem achter me denken: Stomme eend, schijterige, burgerlijke trut. Zij heeft leuke tietjes die naar parfum ruiken en een lekkere zachte kont. Zij is bang van dat grote pistool, de schat. Een trut van een huiseigenares die denkt zich van alles te kunnen permitteren.

Ik ga in tranen naar huis. Julien heeft niks in de gaten. Ik moet hem laten merken dat ik huil door een paar keer te snikken. Ik vertel hem al huilend wat er gebeurd is en omdat hij daar niet koud of warm van wordt, voeg ik eraan toe: 'Het is gevaarlijk voor de kinderen. Stel je voor dat Moïse zich op het verkeerde moment uit het raam buigt. En Nestor heeft precies de juiste lengte voor de bek van de hond. Je weet dat het een dolle hond is. Een dolle hond kan een kind doden.'

'Het is een alarmpistool.'

'Wat wil dat zeggen?'

'Dat schiet met losse flodders.'

'Je kan iemand een oog uitschieten met een losse flodder.'

'Als je heel goed kan richten', zegt Julien lachend.

'Het is niet leuk. Die kerel is het vleesgeworden kwaad, begrijp je? Kijk hem aan. Hij heeft ogen… vreselijk.'

Ik begin weer te huilen. Ik begrijp niet waarom Julien doorgaat met het trekken van zijn lullige lijnen, van zijn shithoeken alsof er niets aan de hand is.

'Het kwaad is overal, schat. Hij heeft burgerrechten. Simono is een armzalig figuur. Hij heeft geen ballen.'

Ik ben gered. Het is idioot. Ik kijk naar Julien die boven mij uitstijgt. Hij zit nog steeds, het hoofd gebogen over zijn ontwerpen, maar toch verheft hij zich. Zijn geest ontstijgt hem als een pijl naar het plafond. Ik geloof in hem. Ik denk dat hij me beschermt.

5

Couscous

Nestor is gisteren drie geworden en we hadden zestig mensen te eten gevraagd. Dat was niet erg slim, maar het was een mooi feest. De volgende morgen moest ik het appartement tot rampgebied verklaren. Er zitten zelfs kruimels in de cd-speler. Te hard opgeblazen ballonnen springen onverwachts en iedere keer schrik ik op. Peuken liggen in hopen op de aarde van de potplanten en ik moet mezelf ervan overtuigen dat het een meststof is als alle andere. Ik schat dat ik drie uur nodig zal hebben om de boel op te ruimen.

Julien is vanmorgen al vroeg naar Lille gegaan. Hij moet een oud arbeiderspension verbouwen om er een vakantieoord voor kinderen van te maken. Ik weet niet hoe hij dat gaat doen.

Toen ik probeerde in slaap te komen, had hij het tegen mij over feng shui, een verzameling van Chinese opvattingen over woninginrichting waarmee je vijandige plaatsen in vriendelijke ruimtes kunt veranderen. 'Je schildert de hoeken rood, zodat de vijandige krachten onschadelijk worden gemaakt. Geen raam tegenover een deur, want anders gaat energie verloren.' Ik heb het idee dat ik droom: occultisme is mijn afdeling. Of zouden we elkaar besmet hebben? Ik doezel langzaam in, terwijl ik denk aan slaapzalen vol kleuters, die naast elkaar in hun bedden met hun ogen wijdopen in de duisternis staren naar de magische krachten die op hen afkomen, ondertussen smekend dat hun ouders hen de volgende morgen al komen ophalen.

Dapper begin ik met de kamer van de kinderen terwijl de dreigende spreuk aan de muur van de bibliotheek van mijn middelbare school door mijn hoofd maalt: 'Een boek dat niet op zijn plaats staat, is een verloren boek.' Ieder speeltje moet zijn familie terugvinden. Als een Legoblokje in de doos van Nopper zit, is het verloren: niemand zal het daar gaan zoeken. Dit soort karweitjes maakt een animiste van me. Ik ben bijna zover dat ik praat tegen de plastic figuurtjes die ik in mijn handen heb; ik zou ze willen geruststellen en tegen hen zeggen dat ik er ben om ervoor te zorgen dat ze in de goede doos belanden.

Bepaalde verhalen die je in je jeugd gelezen hebt, kunnen je voor altijd gek maken. Ikzelf ben behoorlijk van de wijs gebracht door 'Het tinnen soldaatje' en 'De sneeuwkoningin'. Ik moet mijn hersens telkens behoorlijk trainen om in te zien dat poppetjes net zo weinig bezield zijn als straatstenen (hoewel, stenen...) en dat een vuiltje in mijn oog geen splinter is van de spiegel die de boze koningin gebroken heeft om mij slecht te maken.

Toen ik tegen tienen overwoog met de stofzuiger naar de linkervleugel van ons geruïneerde paleis te gaan, diende meneer Dupotier zich aan.

'Ik heb honger, ik heb zo'n honger.'

Weer enthousiast geworden door het effect van mijn huishoudelijke inspanningen, zie ik mijn arme buurman opeens als een onmisbare hulp bij mijn onderneming. Zestig mensen zijn er niet in geslaagd de couscous op te maken. Voor het eerst sinds het begin van onze merkwaardige samenwerking op voedselgebied, ga ik meneer Dupotier een heuse maaltijd aanbieden.

'Ga thuis maar aan tafel zitten. Ik zal een flink bord met vlees en groenten voor u warm maken.'

Ik durf niet te zeggen dat het couscous is. Die verrukkelijke benaming schrikt me af. Als ik het veelkleurige en geurige bord op het tafelzeil zet, vrees ik dat mijn gast zich terugtrekt. Met zijn vriendelijke stem heb ik hem al vreselijke dingen horen zeggen over het Middellandse-Zeegebied.

'Dat is te veel, buurvrouwtje. U bent zo goed.'

Ik denk dat het niet iets is om trots op te zijn. Een van je medeburgers omvormen tot vuilnisbak is nooit een reden geweest om iemand de Orde van Verdienste te verlenen. Om de goedheid verder op te drijven, besluit ik de maaltijd van de oude man stoïcijns bij te wonen. Ik ga tegenover hem zitten en praat met hem zonder te letten op zijn vreselijke gesmak en geslik of op het vleesnat dat langs zijn kin druipt en vlekken maakt op zijn pyjama. Maar ik geef het tamelijk snel op. Ik moet het huishouden doen, zoals de vrouwen in de rij in de supermarkt zeggen.

'Breng het bord maar als u klaar bent. Eet smakelijk.'

Hij glimlacht naar me met een sliert selderij smakelijk om een van zijn lange paardentanden.

Zoals zo vaak had ik alle reden om bang te zijn. Door de couscous is alles begonnen. Ik bedoel eigenlijk dat door de couscous alles is verergerd, op de spits gedreven. Zonder dat zou ik misschien hebben kunnen doorgaan met mezelf in slaap te wiegen met illusies over menselijkheid.

Moïse, mijn grote Moïse van zes en een half is verder dan ik. Op een verkiezingsavond vroeg hij me: 'Als extreem rechts gekozen wordt, gaan we dan meteen weg?' Ik antwoordde: 'Die zullen niet gekozen worden.' Toen herhaalde hij: 'Maar als ze gekozen worden, gaan we meteen weg, hè? Zonder koffers te pakken.' Ik las doodsangst in zijn grote ronde ogen en ik dacht dat hij meer van het kwaad in de wereld wist dan ik. Hij lijkt op zijn vader. Hij doet geen moeite om zichzelf domweg wijs te maken dat twee en twee vijf is, zoals zijn achterlijke moeder doet omdat zij dat leuker vindt.

Toen meneer Dupotier mij het bord terugbracht, zag hij er goed uit. Bijna roze wangen.

'Ik heb er heerlijk van gesmuld. Enorm bedankt, buurvrouwtje.'

Toen ik zijn bestek in de vaatwasser liet glijden, kreeg ik hartkloppingen van angst. Een heel stel levenswijsheden, god mag weten waarvandaan, bestookten me: Je moet kinderen niet verwennen. Een baby die je te veel in slaap wiegt, slaapt niet meer in zijn eigen bedje. Als je ze één vinger geeft, nemen ze de hele hand. Vanaf vandaag zou meneer Dupotier nooit meer tevreden zijn met armzalige oudbakken biscuits en zacht geworden chips. Bij elke maaltijd zou hij couscous eisen. Zo gauw als de geur van gebakken uien onder de deur door zou komen, zou hij zijn deel willen.

Er zit niets anders op dan een voedselbedeling te beginnen, kindje. Prima. Ik stond op het punt om mijn geweten tegen een hoge prijs te sussen.

Zoals zo vaak vermoedde ik amper welke dramatische consequenties mijn gebaar zou hebben.

De volgende morgen was op de deur van de oude man met een punaise een briefje vastgeprikt: HET IS DE BEWONERS VAN DIT PAND VERBODEN OM MENEER DUPOTIER TE VOEDEREN. De met een balpen in hanenpoterig geschreven hoofdletters verraadden een weinig bedreven hand van schrijven.

Met stomheid geslagen ben ik een paar minuten op de deurmat blijven staan. Ik dacht aan de bordjes die in dierentuinen aan kooien vastgemaakt zijn. VERBODEN DE DIEREN TE VOEDEREN.

Moïse en Nestor vinden het heerlijk om in het dierenpark van Vincennes of van de Jardin des Plantes te wandelen. Ik neem ze er heel graag mee naar toe, niet alleen om hun een plezier te doen, maar ook omdat ik het een bijna metafysische bijzonderheid vind om naar de dieren te kijken, om hun geur te ruiken en hun bewegingen te bestuderen. Ik zeg nooit nee tegen een bezoek aan een dierentuin en ik heb er ook wel verstand van. De dierentuin van Londen, die in de Bronx in New York, of van La Palmyre bij Saint-Palais, het kleine dierenpark van La Tête d'Or of de tuinen van La Pépinière bij het place Stanislas in Nancy. Ik probeer altijd de positieve kanten ervan te zien. De beren zien er op een bepaalde plek dan wel ongelukkig uit, maar de pelikanen daarentegen vermaken zich naar hartelust. Ik weet dat dierentuinen voor bepaalde individuen de droevigste plekken van de wereld zijn; ze zouden er haast toe komen om liefhebbers van mijn soort te verdenken van sadistisch voyeurisme. Ze vinden het heerlijk als aan het eind van *De Apenplaneet* de mensen achter de tralies zitten. Persoonlijk heb ik deze scène altijd absurd en belachelijk moralistisch gevonden. Mensen achter tralies? Nou ja…

Er bestaan prachtige, waar gebeurde verhalen over dierentuinen en hun directeuren in perioden van crisis. Een ervan speelde zich af tijdens de Tweede Wereldoorlog. Meneer Saito, de directeur van de dierentuin van Tokyo, had de opdracht gekregen alle gevaarlijke dieren te doden, omdat de autoriteiten vreesden dat als er gebombardeerd zou worden, de leeuwen, slangen, krokodillen en vogelspinnen zich in de straten van de stad zouden verspreiden. Gewapend met spuit, geweer en gifgas moest meneer Saito de hokken en terraria langs. Maar hij hield veel van zijn dieren. Dus besloot hij ze bij hem thuis onder te brengen. Zijn huis was niet groot, zijn vrouw werd doodsbang. De olifant paste niet door de deur. De pythons verveelden zich in de badkamer. Ik geloof dat hij uiteindelijk door een tijger verslonden is. Ik weet niet wat er verder gebeurd is, ik heb een probleem met verhalen; ik vergeet ze te snel om ze te kunnen navertellen. Ik stel me alleen het huis voor dat door een bombardement ingestort is en een leeuw die zich dwars door de straten een weg baant en de inwoners angst aanjaagt terwijl de kinderen het leuk vinden om hem zo voor zijn leven te zien rennen.

Ik heb het papier losgerukt en ben op de deur van Simone gaan kloppen. Ik beefde een beetje omdat ik bang was een kogel tussen mijn ogen te krijgen.

'Wat is dit nou weer?' zeg ik, terwijl ik haar het verfrommelde velletje aanreik.

Ik merk dat Simono niet in de conciërgewoning is en haal vrijer adem.

'Heb jij hem couscous gegeven?' vraagt de conciërge mij zeurderig en woedend tegelijk.

'Jazeker. En reken er maar op dat ik het weer doe, omdat hij sterft van de honger, die oude man.'

'Je kunt wel zien dat jij het niet hebt hoeven schoon te maken', schreeuwt Simone. 'Hij heeft diarree gekregen van jouw potje. Ik zweer je dat ik wel wat anders te doen heb dan zijn lakens te wassen.'

Ik sta op het punt om te zwichten. Ik bevind me in de comfortabele positie van degene die de lakens uitdeelt, terwijl Simone de mindere karweitjes uitvoert.

'Dat is het probleem niet! Je hebt het recht niet om dat te

doen. Als ik meneer Dupotier te eten wil geven, ga jij mij dat echt niet verbieden.'

'Maar het is mijn schuld niet', jammert Simone. 'Zijn schoondochter heeft gezegd dat ik het briefje op moet plakken. Zij wil niet dat hij jullie lastigvalt. Zij wil niet dat de mensen uit de flat klagen.'

'Wie klaagt er? Klaag ik? Het is mijn zaak. Als ik niet wil dat mijn buurman crepeert van de honger, heb ik toch het recht om hem te eten te geven?'

'Nee.'

'Wat, nee? Je gelooft toch niet dat ik me daar iets van aantrek.'

Voor haar neus verscheur ik het velletje.

'Niet doen, Sonia', smeekt de conciërge. 'Dan wordt zijn schoondochter boos op me. Zij is de baas.'

'Niemand is de baas over mij. Geef me haar nummer. Ik bel haar meteen op.'

Simone krabbelt de cijfers op het stukje papier dat ik haar geef. Daarna kijkt ze me hulpeloos aan. Ze durft me niet op mijn nummer te zetten, al zou ze dat willen. Haar onderdanigheid doet me pijn. Ze vertelt me een slechte grap over klassenstrijd.

Met schuldgevoelens overladen doe ik de voordeur van mijn appartement weer dicht. Ik denk dat er niet zoveel toestanden van zouden zijn gekomen, als ik de oude man ragout had voorgezet. Die Arabische pot heeft hem ziek gemaakt. De schoondochter is uit haar slof geschoten omdat het couscous was.

Ik denk weer aan de hondenblik van Simone, aan haar onderworpenheid. Ik heb haar vernederd. Ik heb tegen haar gesproken met de arrogantie van een jonge ontwikkelde vrouw, van een rijke vrouw die het zich kan permitteren om compromissen af te slaan.

Nadat de telefoon twee keer was overgegaan nam iemand op.

'Mevrouw Dupotier?'

'Ja.'

'Ik ben de buurvrouw van uw schoonvader.'

'Oh.'

Haar stem, haar afkeer, haar minachting verlammen mij. Zij kan mijn bloed in lood veranderen. Ik weet meteen met wat voor soort ik te maken heb. Waarom heb ik daar niet eerder aan gedacht? Harteloze en haatdragende types. Ik besluit 'het aardige meisje dat er niets van begrijpt' te spelen en haar te vloeren met mijn intelligentie.

'Het spijt me dat ik u stoor, maar ik heb zojuist met de conciërge een kleine woordenwisseling gehad over meneer Dupotier.'

Ze geeft geen antwoord. Ze is onverschillig. Ze overweegt zeker dat het geringste woord mij van pas zou kunnen komen.

'Het is een netelige zaak, ziet u, omdat ik een briefje heb gevonden op de voordeur van...'

'Dat moest van mij', onderbreekt ze plotseling.

De toon van haar stem leert me dat ze tot het soort vrouwen behoort dat het schouwspel van een terechtstelling door de guillotine niet zou willen missen.

'Het is ongetwijfeld heel moeilijk voor u…'

'Dat zegt u.'

Verandering van tactiek. Ze heeft gekozen voor de aanval.

'Ik woon in een voorstad. Ik heb een baan en ik kan aan dat soort dingen geen tijd verspillen.'

Ik veronderstel dat ze met 'dingen' haar schoonvader bedoelt.

'Dat begrijp ik', zeg ik, terwijl ik bijna zwicht. 'Ik werk ook, ziet u.'

In welk idioot steekspel heb ik me begeven?

'Kom alstublieft ter zake, juffrouw. Ik heb wel andere dingen te doen dan dit.'

Dit keer bedoelt ze met 'dingen' mij.

'Ik wilde u alleen maar zeggen, nou ja, hoe zeg je dat? Het is uitermate choquerend om een dergelijk briefje in het flatgebouw te zien hangen.'

'Het enige wat ik wil is dat hij jullie niet lastigvalt', zegt ze wat minder opgewonden.

'Hij valt ons niet lastig, mevrouw. Hij heeft honger.'

'Luister, ik geef genoeg geld aan de conciërge om hem te eten te geven. Er is geen reden dat hij om liefdadigheid vraagt.'

'Ik heb het papier eraf gehaald.'

'Wat?'

'Ik heb het papier verscheurd waarop Simone had geschreven dat we hem niet te eten mochten geven. Ik vind dat onwaardig.'

'Maar wat wilt u dan dat ik doe?'

'Waarom schakelt u de gemeentelijke sociale dienstverlening niet in?'

'Geen tijd.'

'Ik zal de nodige stappen wel ondernemen. Ik zal wel in de rij gaan staan bij het gemeentehuis en dan hoeft u alleen maar een handtekening te zetten. Ik zal wel iemand vinden die op een gepaste manier voor hem zorgt.'

'Als u dat leuk vindt!'

Zonder nog een woord te zeggen, legt ze de hoorn op de haak.

Ik bijt op mijn nagels. Ik heb zin om te huilen, maar ook om de schedel van die trut met een honkbalknuppel te verbrijzelen en om alcohol van 90° in haar neusgaten te gieten. Haat is besmettelijk, dat is het probleem. Zij heeft me ermee besmet als met verkoudheid en nu draag ik het met me mee. Ik denk dat ik door mijn moordlust in de gevangenis zal belanden en ik denk aan de laatste scène uit *De Apenplaneet*.

Na drie kwartier met de telefoon onder mijn kin naar 'Für Elise' geluisterd te hebben, krijg ik eindelijk de betreffende dienstverlenende instantie aan de lijn. Aan een heel begripvolle mevrouw leg ik uit wat er aan de hand is, maar niettemin houdt ze hardnekkig vol om me elke drie minuten te vragen: 'Maar wie bent u? Een familielid?'

'De buurvrouw,' antwoord ik, 'alleen maar de buurvrouw.'

Dit misverstand weerhoudt ons er niet van een dossier aan te leggen en de toekomst van meneer Dupotier in een wat gunstiger daglicht te beschouwen. Mevrouw Corsotti, die me de verzekering geeft dat ze alles zal doen om de zaken te regelen, is een engel.

Ik ben zover dat ik om mijn zenuwen te kalmeren, scheidings-
lijnen trek vanaf de aarde tot de maan. Aan de ene kant de enge-
len met mevrouw Corsotti aan het hoofd van de stoet, aan de
andere kant de demonen met de weduwe Dupotier voorop. Het
is alsof ik in het theater ben. Ik zie ze allemaal op een rij staan
en door de goeden van de kwaden te scheiden, kom ik een beetje
tot bedaren.

Simono het vette varken aan de rechterkant, meneer Lakrach
de slager van beneden aan de linkerkant, de loonslavin van Le
Pen, met wie ik vorige week nog een scheldpartij had, aan de
rechterkant, Jenny de kleuterjuf aan de linkerkant.

De zaken worden ingewikkelder als Simone het strijdperk be-
treedt. Ik weet niet aan welke kant ik haar moet plaatsen: wat
ze ook doet, ze bewaart die ontwapenende oprechtheid, die wil
om goed te doen. Ik zie haar als een slachtoffer en ik vraag me af
wat voor soort aanklager ikzelf zou zijn. Ik ben zo iemand die
erg goed is in het aanvoeren van verzachtende omstandigheden.
Ik weet zelf ook niet meer aan welke kant ik moet gaan staan.
Aan de linkerkant als ik de sociale dienstverlening bel die ik de
plaats van de weduwe Dupotier laat innemen, aan de rechterkant als ik profiteer van mijn invloed op Simone om haar een
toontje lager te laten zingen. Links als ik mijn buurman couscous geef, rechts als ik me daarvoor schaam, en ook rechts als
ik beken dat ik dat doe om te vermijden dat ik restjes moet weg-
gooien. Deze hersentraining mat me af en bederft mijn plezier.
Ik heb de morele levensvisie van een kind van vijf. Toch houd ik

vol en tot de avond denk ik na over deze verticale horizon, de scheidingslijn die me toestaat om te leven en door te gaan met nadenken.

Met Julien praat ik er niet over. Hij heeft een goede bui. Nadat hij de kinderen bij hun grootouders heeft gebracht, nodigt hij me uit om ergens wat te gaan drinken omdat het een herfstavond is om van te dromen, eentje die baadt in rood licht. De ondergaande zon laat de bladeren van groen naar goud verkleuren. De beginnende bladval is gewoon een gevolg van kleurenwetten.

Ik wilde niet naar de Bar des Alouettes gaan, maar Julien heeft me overgehaald. Het terras stalt zijn plastic tafeltjes uit op het brede trottoir. Wij bestellen pastis en hij praat weer over feng shui, dat – zo legt hij me uit – uitgesproken wordt als 'feung chouais'.

'We gaan openingen op het oosten maken', kondigt hij trots aan.

Ik vraag me af of ik niet meteen naar meneer Dupotier moet gaan om te controleren hoe zijn appartement ligt.

Het oker van de zon maakt vlekken op het voorhoofd van mijn geliefde wiens ogen schitteren. Zijn schouders verbreden zich. Hij heeft dat zeldzaam zegevierende, die overwinningsglimlach waarvan ik altijd hoop dat die zich op zijn lippen aftekent. Ik kijk hem aan en ik vergeet mijn dag, ik vergeet mijn leven, ik vergeet mezelf en mijn eindeloze vragen. Als hij geen Julien zou heten, zou hij 'Ja' moeten heten, zeg ik tegen mezelf, want dat is een van de woorden die ik het liefst hoor.

Om ons heen kwebbelt en lebbert het maar door. Er zijn oude mensen die jong willen zijn en jongeren die oud willen zijn. Ik zou blij willen zijn en willen genieten van het moment, omdat het heerlijke dingen bevat, maar mijn geest dwaalt rond. Tegenover mijn gebrek aan enthousiasme droogt de woordenstroom van Julien langzaam op. Al gauw zwijgen we en worden we overmand door de wereld om ons heen. Woede stijgt in me op als een tinteling in je vingertoppen, een prikkeling in je nek. Ik denk aan meneer Dupotier, aan zijn schoondochter die op een intens wrede manier zit te wachten totdat hij crepeert.

Ik vertel Julien over de gebeurtenis met het briefje op de deur van meneer Dupotier. Ik weet dat ik het niet moet doen, maar het is sterker dan ik. Chaotisch doe ik verslag van wat er die dag gebeurd is, het is stomvervelend en zinloos.

Met zijn ogen op de andere kant van de boulevard gericht zingt Julien de eerste maten van het verzetslied 'L'Affiche rouge'.

Ik heb de indruk dat wij niet tot deze wereld en dit tijdperk behoren. Wij horen zelfs niet in dit seizoen thuis. Ik heb een enorme lijdenslast op onze schouders geladen en niets is in staat om die eraf te schudden. De last schiet wortel en klampt zich vast aan onze schouderbladen, plant zijn klauwen in het magere vlees aan onze ribben. We likken allebei onze wonden. Zo zijn we veroordeeld om ons alleen maar vast te houden aan allegorieën en overal herinnerd te worden aan voorbije wreedheden. Het briefje van Simone, de bordjes in de dierentuin, de hakenkruisen op de winkels, *Arbeit macht frei*, verboden op het gras te lopen, van de zachtaardigste tot de meest afschrikwekkende, van de meest kinderlijke tot de meest cynische, het lijkt alsof deze formuleringen allemaal dezelfde auteur hebben. Hoe kun je daarvan loskomen?

Ik heb onze avond verpest. Nu hebben we alleen nog maar recht op melancholie. Ik vraag me af of het geen kunstgreep is om liefde te vermijden en ik beschuldig mezelf tegelijkertijd van muizenissen. De blikken van de cafébezoekers doden me. Ik begrijp niet waar die blikken op gericht zijn, hoe ze zo kunnen spelen. Ik vind het gewoon onverdraaglijk dat tientallen ogen geen traan laten. Ik zou op een stoel willen gaan staan om te schreeuwen, om hen allemaal over het briefje en over meneer Dupotier te vertellen en daarna, als ik toch bezig ben, alle andere verhalen. Ik zou hen tot de avond willen overladen met een lijst wreedheden, zodat ze ophouden met te geloven in de kerstman, in God, in vrede en in hun belachelijke, comfortabele leventje.

Onbewogen neemt Julien me van top tot teen op, hij weet waaraan ik denk. Diep ontroerd neemt hij mijn hand en zegt dat ik een kwalijke neiging heb om te denken dat ik Jezus Christus ben. Ik lach erom, maar ik haat hem. Wie zal me nemen zoals ik ben, als hij ook al denkt dat ik gek ben?

Onze lichamen zijn hard, onze kinnen strak van verbittering.

'Je moet daarmee ophouden', zegt hij.

'Waar moet ik mee ophouden?'

Ik begrijp heel goed wat hij wil zeggen, maar ik wil dat hij het expliciet zegt.

'Met alleen maar daaraan te denken.'

Hij wil zeggen dat ik er plezier aan beleef en dat dat hem bang maakt, maar ik help hem niet om de woorden te vinden.

'Jij hebt makkelijk praten, jij bent nooit thuis. Ik zit van 's morgens vroeg tot 's avonds laat aan mijn tafel gekluisterd om die stomme vertalingen te maken. Wat wil je nou? Dat ik hem laat bellen? Als ik er niet heen ga, begint hij tien minuten later opnieuw. Dat heb ik al geprobeerd.'

'Schrijf gedichten.'

'Wat?'

'Ik zeg dat je gedichten moet gaan schrijven.'

Ik heb plotseling zin om een bord om mijn nek te hangen met de tekst: Het is verboden in mijn hersenen binnen te dringen.

'Dat is uit de tijd.'

'Ik heb het niet over minirokjes. Ik heb het over het schrijven van gedichten.'

'Daar heb jij geen verstand van. Jij hebt je eigen wereldje. Jij weet niet hoe het in het mijne toegaat.'

'Dat is niet waar.'

'Jacques Prévert', zeg ik heel hard.

'Nou en?'

'Moet je niet lachen? Het is een grapje, hoor. Iedereen lacht als je over Jacques Prévert praat. Het is iets dat leraressen aan kinderen blijven geven alsof dat goed zou zijn voor hun groei, maar behalve zij spot iedereen met hem.

'Nou en?'

'Ik heb alles gezegd. Ik ben uitgepraat.'

'Jij speelt vals. Bovendien hou ik wel van Jacques Prévert.'

'Ik zeg je dat het uit de tijd is. Dat is alles. En daar komt bij dat ik een meisje ben. Meisjespoëzie schrikt af. Ik weet niet waarom we het daarover hebben.'

'Omdat ik zin heb om over iets anders te praten dan over meneer Dupotier.'

Ik laat mijn hoofd hangen. Dat is waar. Julien en ik praten alleen maar over hem. En over de kinderen. Ik schaam me voor onze liefde, onze arme kaalgeplukte liefde.

6

De kunstenaars

Ik zou heel graag gaan wandelen. De hemel is van een volmaakt blauw, geschilderd in inkt. Met mijn rug tegen de verwarming geplakt kijk ik vanuit mijn stoel naar de kale, lange, zwarte takken van de acacia's. Het zijn net gracieuze en lenige spinnenpoten, verbaasd trippelend in de lucht. Maar het is te koud. De lucht maakt staal van je wangen en hout van je vingers. Na honderd meter lopen beginnen je ogen te tranen. Je voelt je naakt en koud tot op het bot.

Gisteravond zijn we om twee uur 's nachts thuisgekomen van een heel saai diner, waarvan het onmogelijk was om eerder weg te gaan. Tot het laatst hoopte ik dat een van de aanwezigen gewoon zou gaan praten, gaan lachen of simpelweg zijn neus zou ophalen. We zaten met zijn tienen aan tafel en iedereen streed met hopeloze felheid om erbij te horen. Het ging alleen maar over werk en geld. De inzet heb ik niet begrepen. Omdat ik me in de eerste helft had teruggetrokken door een glas water te vragen terwijl iedereen wodka dronk, hoorde ik er al tamelijk snel niet meer bij.

Toen we weggingen, heb ik Julien omhelsd alsof we elkaar niet kenden, alsof we elkaar op die vreselijke avond voor het eerst ontmoet hadden. En dat werkte. Kriebels in je buik.

Op de stoep voor het flatgebouw was Simone druk in de weer met grote emmers water. Ze droeg alleen maar een opengewerkte trui en een rok tot boven haar knieën, en haar blote voeten staken in afgetrapte sloffen alsof het hartje zomer was. De damp die ontstond door het contact van het warme en schuimende sop met het ijskoude asfalt hulde haar in een onwezenlijke wolk.

'Wat is ze nou aan het klooien?' vroeg Julien.

'Dat lijkt me nogal duidelijk,' antwoordde ik, 'ze maakt de boel schoon.'

Simone, die niet eens het trappenhuis kon stofzuigen, maakte om twee uur 's nachts bij vijf graden onder nul de stoep schoon.

'Ze moet wel ladderzat zijn.'

Julien had verstand van alcoholisten: hij had er verschillende in zijn familie. Ik vergeet altijd dat zoiets bestaat; mijn befaamde methode om de wereld mooier te zien. Ik werd erdoor gerustgesteld, want ik denk dat je het warm krijgt van drank. Simone zat vol wijn, whisky, calvados, vol met alle soorten antivries die haar beschermden tegen longontsteking.

'Gaat het, kunstenaars?' flapte ze eruit.

En ik leidde daaruit af dat ze ons eigenlijk wel mocht.

'En jij, heb je het niet koud?' vroeg Julien aan haar.

'Van dat schrobben word je warm. Bovendien ligt Niniche in

het ziekenhuis. Een dubbele leveraandoening. Daardoor zijn haar spataderen gesprongen. Ik draai weer voor al het werk op.'

Niniche, zo heette de slavin van Simone en Simono dus. Ze dook vlak voor kerst in het flatgebouw op. Ze was ons nooit opgevallen, want ze had een vertrouwd gezicht. Het was een volksvrouwtje uit de buurt. Iemand die ons groette en die wij groetten en die onze kinderen ongepaste bijnamen gaf als Rododo of Toquemou. Ze was klein, een beetje gebocheld en leek op een van de dwergen uit de tekenfilm *Sneeuwwitje* van Walt Disney. Nee, ze leek meer op twee dwergen. Ergens tussen Sneezy en Dopey. Haar huidskleur was buitengewoon afstotend; hij had iets van bedorven paté. Als liefhebster van dezelfde ammoniakachtige haarspoeling als Simone kon zij daar minder goed mee overweg, zodat haar uitgedroogde haar leek op pluimen van langgeleden geplukte maïskolven. Doordat haar met wallen omringde gelige lodderogen loensden, kon ze de boel niet overzien. Ze had een gestoorde blik en sprak tegen Simono's hond met een overslaande stem alsof hij haar enige kind en de teleurstelling van haar leven was.

Sinds een paar weken hing ze in het trappenhuis rond met een vod over haar schouder en een fles Glassex in haar schortzak. Hier en daar een veegje uitdelend. Haar automatische handelingen hadden niets te maken met het vuil en de stof, het was een noodzakelijke lichamelijke reflex. Als zij haar arm optilde om regenbogen van vuil op de muren te tekenen, glimlachte haar mond slapjes en vormden haar wenkbrauwen door de inspanning een accent circonflex. Niniche deed al het werk, dat wil zeggen bijna niets, want Simone had een zeer beperkte opvatting over hygiëne.

'Arme Niniche', zei Julien alleen maar.

De conciërge haalde haar schouders op.

'Had ze maar niet zo veel moeten drinken.'

In huis rook het nog naar gegratineerde aardappelen en karbonades. Het was warm en Amandine, die op de kinderen paste, was in slaap gevallen. Voor ik naar bed ging, deed ik mijn ronde door het huis als een veldwachter met mijn handen op mijn rug en in een enigszins krijgshaftige pas. Ik zag de voorhoofdjes van mijn kinderen blinken als kwikbolletjes in het donker. Ik luisterde naar hun ademhaling en snoof hun geur op. Ik dacht terug aan wat Julien me gezegd had. Gedichten schrijven. Waarom ook niet? Maar waar zouden ze over moeten gaan? Over de huid van mijn zoontjes, over de kusjes die ik in de holte van hun handpalm geef als ze in slaap gevallen zijn, over de handen van Julien, over zijn kwetsbare hals, over zijn zwarte en ondoorgrondelijke stuiters, waardoor hij zo'n wantrouwende blik heeft? Ik voelde me zo stompzinnig en geïnspireerd tegelijk dat ik met plezier met mijn hoofd tegen de muur had gebonkt. Maar ik ben geen kunstenaar, wat Simone ook moge beweren, ik heb geen zenuwinzinkingen, ik heb niet van die emoties.

Op een stoel zittend, mijn rug tegen de verwarming, kijk ik naar de bomen met de spinnenpoten en wacht tot me een gedicht te binnen schiet. Ik zou kordaat en scherpzinnig willen zijn, maar ik ben te veel onder de indruk van de prachtige lucht. Mijn hoofd tolt ervan. Als het niet zo koud was, zou ik naar buiten gaan. Ik stel me voor dat ik enorm lange benen heb. De daken van de huizen reiken net tot aan mijn dijen, in drie stappen loop ik door de stad tot aan de heuvels van Saint-Cloud en ik ga liggen op de toppen van de essen, de beuken, de populieren en de platanen. Als een reusachtige fakir word ik gekieteld door de prikkeling van de stekelige takken. Ik hoor de geluiden van de straat, de slagersknecht onder zijn witte capuchon, die delen van in vieren gehakte runderen en halve lammetjes op zijn schouders gooit, ronkende auto's en blaffende honden.

Ergens begint getrommel. Boe-boem, boe-boem, heel zachtjes, alsof het hart van het flatgebouw plotseling begint te slaan. Een paar seconden stilte en het begint opnieuw. Het buizenstelsel als slagaderen, de elektriciteitsleidingen als aderen, de lift als ruggengraat, de trapportalen als longen, de trap als darm, evenveel ramen als ogen (bepaalde dieren, ik geloof weekdieren, kunnen er wel driehonderd hebben). Alleen dat hoor ik maar. Ik ben dus verhoord. Het magische waarop ik vanaf mijn vijfde hoop en wacht, het wonder van de gedaanteverandering vindt eindelijk plaats. Het onbezielde krijgt een ziel.

'Help!'

Het getrommel wordt harder en ik herken die stem. De schrijnende melancholie van een zingende zaag. Meneer Dupotier roept om hulp. Hij slaat met zijn vuisten tegen zijn deur. Ik spring op. Laat het een droom zijn die verdergaat. Ik voel me niet in staat om het geringste gevaar te trotseren.

Ik ga ons huis uit en vraag: 'Wat is er? Wees maar niet bang, ik ben het.'

'Help, buurvrouwtje. Help me toch.'

'Wat is er met u aan de hand? Kom naar buiten. Bent u gewond?'

Het moet zijn heup zijn. Ouderen hebben skeletten van porselein.

'Ik kan er niet uit', zegt hij terwijl hij maar tegen het hout blijft slaan. 'Ze hebben me opgesloten.'

'Wie?'

'De conciërges. Ze hebben m'n sleutel afgepikt.'

Hij moet kalmeren. Ik stel me voor hoe hij aan de andere kant bezig is. Door dit geweld zal hij zijn handen kapot slaan.

'Blijf kalm. Ik zal u bevrijden.'

Ik denk dat ik dit antwoord heb gepikt van Zorro of Robin Hood. Helaas heb ik niet de kwaliteiten van een handhaver van het recht. Wat ik in dit geval mis, is vooral de techniek van een inbreker. Een lier, een krik, een koevoet, een haarspeld, een voor een som ik de gereedschappen op die de situatie zouden kunnen redden. Het slot ziet er behoorlijk ingewikkeld uit. Overspoeld door een golf van bewondering voor kwajongens die gewoon lachen om deuren, zelfs als die met rolluiken beveiligd zijn, kies ik voor een methode die meer in overeenstemming is met mijn gebrek aan ervaring.

'Ik zal Simone de sleutel gaan vragen, maakt u zich maar geen zorgen.'

'Dank u wel buurvrouwtje, u bent zo trouw.'

Simone, wat een vrouw, altijd trouw, mijn dichterlijke geest ontwaakt op een ongepast moment.

Ik ga naar de begane grond en op mijn beurt trommel ik als een gek. Ze zullen de hond op me loslaten, zeg ik tegen mezelf, waarmee ik alvast vooruitloop op de pijn van de beet die gemengd is met de afkeer van de stank die het arme verschrikte beest verspreidt. In de woning van de conciërge beweegt niets. Ik hoop op een collectieve zelfmoord. Het idee dat er drie lijken op de plankenvloer liggen, lucht me op. Nee, Simone niet. Niniche evenmin. Alleen maar het vette varken: leeggebloed. De schoondochter heeft het gedaan. De rest van haar leven zal ze in de gevangenis moeten doorbrengen.

Ik draai door en ik herinner me dat ik vannacht om drie uur naar bed ging. Ik bel Julien. Hij is Zorro. Hij is Robin Hood. Mijn held. Terwijl ik het nummer intoets, denk ik dat liefdespoëzie van een vrouw voor de man van wie zij houdt, het meest lachwekkende is dat er bestaat.

Ik ben erin geslaagd niet te huilen. Om me te belonen, zal hij snel komen. Ik zou er niet van staan te kijken als hij bij het appartement aankomt op een groot zwart paard. Oh Tristan, oh Hamlet, mijn ridder.

Als hij met zijn warrige haardos en in zijn ruime jack over de drempel stapt, vrees ik onmiddellijk voor zijn huid, zijn gewrichten, zijn heel zachte buik. Ik sluit hem in mijn armen, hij duwt me weg.

'Ze zijn er.'

'Wie?' zeg ik stompzinnig.

'Simone en Simono. Ze zitten binnen een spelletje te doen.'

'Luister!'

Meneer Dupotier trommelt weer. Help. Te hulp.

Julien schudt zijn hoofd.

'Dat is belachelijk', zegt hij.

Ik begrijp het niet. Wij staan op punt om een leven te redden en wie een leven redt, redt de hele wereld.

'Wees voorzichtig.'

'Wat kan me nou gebeuren? Ik ga hun de sleutel vragen. Die zullen ze me geven en ik ga de deur bij die oude man openmaken.'

Ik zie dat hij teleurgesteld is. Hij is klaar voor de hinderlaag, de aanslag met dynamiet.

Vanaf de overloop volg ik het tafereel zonder het te zien. De woorden worden geschreeuwd en onderbroken door het geblaf van de hond.

'Doe open!'

'Wat wil het kereltje?'

'Het kereltje wil de sleutel van meneer Dupotier en in uw eigen belang kunt u hem maar beter aan hem geven.'

'Laat maar, Simone, ik zal dat wel even opknappen. Sodemieter op, snotneus.'

'Geef die sleutel.'

'Ik geef helemaal niks. Je houdt je kop dicht en je gaat weer naar boven naar je eigen huis.'

'Ik ga hier niet weg, zolang ik die sleutel niet heb.'

'Kom maar knokken.'

Ik hoor geluiden van een deur die opengedaan of dichtgetrokken wordt.

'Donder op, zeg ik je.'

'Hier met die sleutel.'

'Simone, hij wil vechten.'

'Kom naar buiten, lul. Je kan trouwens niet eens vechten.'

'Daar krijg je spijt van.'

'Geef die sleutel of ik bel de smerissen.'

'Bel de smerissen, bel je moeder, bel maar wie je wil.'

'Geef me die sleutel of ik bel de politie.'

Julien rent met vier treden tegelijk de trap op en stort zich op de telefoon. Ik hoor de conciërges beneden schelden. Ik sla mijn armen om mijn borst om niet te trillen. Meneer Dupotier gaat door met trommelen.

Dit is het einde, denk ik. De politie. Ik zou Julien willen zeggen dat hij het niet moet doen, dat hij ze niet bij ons binnen moet laten. Ik ben bang dat ze drugs vinden of dat ze ons ervan beschuldigen onze kinderen te slaan. De kinderen! Ik moet ze van school halen. In paniek doe ik mijn jas aan, zet een muts op en sla een sjaal om. De conciërges mogen me niet herkennen. Ik ren langs hun appartement en als ik terugkom zal ik tegen Moïse en Nestor zeggen dat ze hun mond dicht moeten houden. Ik zal zeggen dat ze zich heel klein moeten maken. Ik zal hen wijsmaken dat een wolf zich in de lift verstopt heeft. Dan zullen ze hun mond wel houden.

We komen tegelijk met de agenten aan en Nestor fluistert me in mijn oor of ze voor de wolf komen. De kinderen kijken met open mond naar de met zilverdraad versierde petten en de embleempjes met de Franse vlag en wijzen me met hun vinger op de revolvers die met een soort telefoonsnoer vastzitten aan de riem van de twee mannen en de jonge vrouw die voor ons uit lopen met een sportieve tred waarmee ze de hele etage in bezit nemen.

'Zijn die echt?'

'Ja', fluister ik.

Moïse gelooft me niet. Hij denkt dat ik van alles verzin om hun leventje wat opwindender te maken. Hij is ervan overtuigd dat ik toneelspelers heb ingehuurd om net te doen of mijn armzalige wolvengeschiedenis echt is.

'Wolven staan in ieder geval op het punt om uit te sterven', zegt hij. 'Als slachtoffers van jagers zijn ze meedogenloos uitgedund.'

Zijn broertje kijkt hem wantrouwend aan.

'Misschien blijft alleen deze nog over', oppert hij.

Moïse haalt zijn schouders op, maar zijn onverschilligheid zal spoedig aan het wankelen gaan. Als hij naar de leider van het groepje loopt, beveelt deze, met zijn hand op zijn wapen, zonder hem aan te kijken: 'Stuur de kinderen weg, alstublieft.'

Ik neem ze mee naar hun kamer en zeg dat ze zich rustig moeten houden.

'Gaan ze de wolf doodmaken?' vraagt Nestor.

'Hou je mond', zegt zijn broer.

En dan, terwijl hij zich naar mij omdraait: 'Als jullie naar de gevangenis gaan, kunnen we dan bij oma gaan wonen? '

'Moïse, je bent volkomen getikt', zeg ik tegen hem. 'We hebben de politie gebeld omdat meneer Dupotier zijn sleutel kwijt is. Hij zit opgesloten in zijn huis.'

Mijn zoon kijkt me teleurgesteld aan.

Ik ga de kamer uit en doe de deur dicht om de leugens buiten te houden.

Waarom is het zo moeilijk om de waarheid te spreken? Als je begint te liegen, kun je niet meer ophouden. Toch heb ik de indruk dat mijn wolvenverhaal dichter bij de feiten ligt en de situatie betrouwbaarder weergeeft dan een objectief verslag van de gebeurtenissen. Mijn woordenstroom raakt uitgeput. Ik kan onmogelijk gewoon vertellen wat ik zie en wat ik hoor, dat is niet voldoende.

Ooit sprak Julien met me over een stroming in de schilderkunst waarvan ik de naam vergeten ben en die als enig uitgangspunt had om te stoppen met schilderen; ik heb me tranen gelachen.

'Wil je zeggen dat dat schilders zijn die besloten hebben om niet te schilderen?'

'Precies.'

'Maar wat doen ze dan?'

'Allerlei dingen. Er zijn er een paar in een fabriek gaan werken.'

'Hou je me voor de gek?'

Ik moest ontzettend lachen en dat vond hij ontzettend kwetsend. Ik heb nu een klein heidens kapelletje voor hen opgericht. Ik, die altijd maar in het wilde weg aan het kletsen ben en altijd met mijn kwebbel klaarsta, heb nu eens geen zin om mijn mond open te doen. De woorden die ze mij hebben gegeven en die ik geërfd heb, schieten tekort. De wereld produceert metaforen, omdat we niet in staat zijn iets rechtstreeks te vertellen.

We hebben onze getuigenverklaring afgelegd. Onze buurman wordt opgesloten door de conciërge van de flat.

'Wacht even! Opgesloten? Let op uw woorden', zegt de leider.

Hij kijkt geamuseerd en werpt een blik van verstandhouding naar zijn dienaren.

'Ze hebben de sleutel meegenomen', verduidelijk ik.

De drie agenten zuchten meewarig; ze hebben wel andere dingen meegemaakt. Ons geval is niet spectaculair genoeg. Ze vervelen zich. Er is geen bloed en er zijn geen in stukken gehakte ledematen. Ik realiseer me dat zij, net als wij, teleurgesteld zijn in hun opdracht, maar om tegenovergestelde redenen.

Wij zijn even oud, we zouden bij elkaar in de klas hebben kunnen zitten. De leider, die een beetje rossig is, smalle schouders en een dik achterste heeft, doet me denken aan Pascal Trénaux, een knul met wie ik in de brugklas zat en die overal maling aan had, tot het moment waarop een woord in zijn keel bleef steken. Plotseling steeg het bloed naar zijn hoofd en veranderde zijn houding. Terwijl hij met zijn vuisten sloeg en zijn lichaam schokte van elektrische ontladingen, sprong hij op, steigerde en schreeuwde hij en gooide zich op de grond. Wij keken verbaasd en geamuseerd en zelfs een beetje geschrokken naar hem. 'In zijn jeugd moet hij veel meegemaakt hebben', vertrouwde de verpleegkundige van de school me toe, maar ik geloofde haar niet. Ik had zo'n idee dat verdriet voor zoiets geen verklaring is.

Zijn collega is kleiner en gedrongen met zijn hoofd tussen zijn schouders als een ei in een eierdopje. Hij heeft een stem als een misthoorn en een licht zuidelijk accent. Met zijn duimen achter zijn riem kijkt hij spottend naar Julien en mij. Hij ziet ons aan voor een stel doetjes. Julien ziet hij als een mietje en mij gewoon als vrouw.

De vrouw die bij hem is, lijkt inderdaad niet op mij. Haar blonde haren in een paardenstaart en net zo'n vooruitstekende kin als koppige kinderen. Haar schouders zijn heel indrukwekkend; haar handen zijn groot, rood en sterk. Ze staat onverzettelijk, haar voeten enigszins uit elkaar, klaar om haar pistool te trekken, om iedere smeerlap tegen de grond te kwakken en hem in de houdgreep te nemen.

En dat alleen maar om een sleutel.

'Goed. Als ik het goed begrepen heb,' vat de leider samen, 'komt uw buurman zijn huis niet uit en daar bent u ongerust over?'

'Ik heb geen persoonsgegevens van u', onderbreekt het meisje op argwanende toon.

Gedwee geven wij onze naam, onze voornamen, ons adres en onze gezinssamenstelling op.

'Beroep?' vraagt ze, al bij voorbaat blij.

'Architect.'

'Vertaalster.'

Ze knipoogt naar de twee mannen.

'Kunstenaars, hè!'

Ze schieten in de lach, maar goed, met grappen komen we niet verder, we moeten die oude man gaan bevrijden.

Vijf minuten later horen we de deur van meneer Dupotier opengaan. Hij valt in de armen van zijn redders en weet niet hoe hij ze kan bedanken. Julien en ik lopen de overloop op. Hij kust onze handen. De agenten wenden hun blik af en zonder een woord te zeggen, gaan ze op de boulevard nog wat identiteitspapieren controleren om hun wandeling rendabel te maken.

Bekaf laat ik me op de bank vallen. Ik heb geen traan gelaten en toch zijn mijn ogen vochtig.

'Ze vonden ons maar lulletjes', zegt Julien.

Maar we horen voetstappen op de trap. Het is Simono die met de oude man gaat afrekenen.

Ik doe mijn ogen dicht. Ik zou willen dat hij ophield te bestaan, uitgleed op de trap, smolt of implodeerde.

'Ik kom zijn eten brengen', zegt hij tegen Julien, die meteen de overloop is opgelopen.

'Als je hem ook maar een haar krenkt dan...'

'Doe maar niet zo stoer tegen mij, kleine klootzak. Op een dag, jij weet niet hoe, maar ik weet wel waarom, lig jij voor lijk op de boulevard met een kogel tussen je ogen. Ik zal niet mis schieten.'

7

De schurken

Meneer Dupotier komt me opzoeken. Het is de derde keer vanochtend.

Ik ben weer terug bij het begin van mijn verhaal. Er zijn tien maanden voorbij en Kerstmis nadert, een uitermate vruchtbare periode voor wanhopige buien. De nacht is overal bezaaid met witte lampjes die dwars door de straten sterren en arresleeën moeten voorstellen.

Ik denk aan de sinaasappel, de beruchte kerstsinaasappel, het mooiste cadeau dat een kind kon krijgen en waarover onze onderwijzers op school bleven zeuren alsof het over een heilige ging. Het jongetje stopte hem onder een stolp en... hoe het afliep, wisten we niet, ik veronderstel dat hij toekeek hoe die wegrotte. Een stichtelijk fabeltje (als je daarvan kunt spreken) waarvan wij tranen in de ogen moesten krijgen en dat moest voorkomen dat we bij onze ouders zouden zeuren om elektrische kerstverlichting.

In mijn familie deden we niks aan Kerstmis, omdat het een

katholiek feest was. De geboorte van Jezus was niet de moeite waard om zo'n drukte over te maken. Met minachting trotseerden we de etalages. We vonden het wreed om dennenbomen om te zagen die aan niemand iets gevraagd hadden en we voelden een mengeling van verachting en afgunst voor de meute gestoorden die zich op de zilverkleurige slingers en helderrode ballen wierp.

De kinderen die geloofden in de zak van de kerstman, in cadeautjes die door de schoorsteen vielen, in grote rendieren die in de sneeuwvlokken kwamen aanstormen, leken ons buitengewoon onnozel. Om niet achter te blijven, moesten we nog wonderbaarlijker verhaaltjes verzinnen. Misschien komt het wel door dit gedwongen agnosticisme dat er van die idiote fantasieën bij me opkomen die mijn geest nog steeds bevolken. Het recht om mijn fantasie de vrije loop te laten, is een van mijn dierbaarste verworvenheden. Bomen praten, stenen luisteren en de hemel wordt bevolkt door wezens. Niemand heeft het recht om me te zeggen dat dat onzin is, want ik heb geleerd om de werkelijkheid vanuit een andere hoek te bekijken. Soms gebeurt het me echter, vandaag ook weer, dat ik voel dat ik me niet kan aanpassen. Dan ben ik bereid om mijn goede wil te tonen en weer in het gareel te lopen.

Toen ik op een ochtend niets te doen had, heb ik uit zorg voor mijn gezondheid een lijst opgesteld met dingen die niet bestaan en waarin ik geloof, gevolgd door dingen die wel bestaan en waarin ik niet geloof. Ik ben geschrokken van het resultaat. In

de kolom DINGEN DIE BESTAAN EN WAARIN IK NIET GE-
LOOF, stond bijvoorbeeld seks. Die zit, zei ik tegen mezelf. Zie-
hier een moeder van een gezin die zichzelf accepteert zoals ze
is. Ik heb Bianca opgebeld, een Italiaanse vriendin die ouder, en
ook wijzer en meer ervaren is dan ik. Ze heeft honderdveertien
minnaars gehad. Toen ik haar de vraag stelde, leek ze niet verrast
en zei: 'Wacht, ik pak even een sigaret.' Een ander zou mij gevraagd hebben het nog eens te herhalen. Dat zou ik niet gedurfd
hebben en ik zou gelachen hebben om de indruk te wekken dat
het maar een grapje was. Ik zou zo een unieke gelegenheid voorbij hebben laten gaan om me te informeren over de wereld, de
echte, waarvan ik niets begrijp. Maar Bianca houdt van vragen.
Ze vindt het leuk om te polemiseren, wat net zo leuk is als de
liefde.

'Ja, seks bestaat,' bevestigde ze mij, 'maar vooral voor mannen.'

'Waarom vooral voor mannen?'

'Aan de ene kant vanwege castratieangst…'

Bianca is vrij goed in psychologie, ik ook, maar het is als met
seks, in die zin dat ik er niet in geloof.

'…en aan de andere kant om de doodeenvoudige reden dat
seks mannen steeds aan hun mannelijkheid herinnert.'

Ik kan dit idee, dit 'steeds herinneren aan' wat dwingender
klinkt en daarom gevaarlijker is dan 'denken aan' wel waarde-
ren.

'Ze zijn bang dat ze geen stijve krijgen', legt ze me uit.

'Ja, ja, precies. Dat moet wel erg angstaanjagend zijn', zeg ik, zonder echt medelijden te hebben.

'En dan moet je je verder ook nog voorstellen dat dat ding zich opricht bij het zien van een mooie meid. Ze weten al dat ze haar mooi vinden, voordat ze het zelfs beseffen.'

'Wij ook?' vraag ik.

'Wat wij ook?' vraagt Bianca.

'Hebben wij dat ook?'

Bianca lacht. 'Dat hebben wij op een bepaalde manier ook.' Maar wat is er aan de hand: of ik problemen heb met Julien of zo?

'Nee, het was alleen voor mijn lijst', zeg ik tegen haar en zij heeft de onmetelijke goedheid om genoegen te nemen met dit antwoord.

Ik hang op, ik ga me in de spiegel bekijken. Ik vraag me af of ik mooi ben. Ik stel me de geslachtsdelen van jongens voor die zich als een erehaag voor me oprichten als ik voorbij loop. Dat kan niet. Bianca zegt maar wat. Zoiets bestaat niet.

Toen ik ouder werd, kon ik Kerstmis annuleren en deze periode alleen maar zien als een reusachtige verkoopstunt. Ik denk aan de verplichte volksverhuizingen van de meesten van mijn vrienden, die hun ouders gaan bezoeken en zich weer in de ongemakkelijke positie van oude baby's bevinden, vooral als ze zelf geen kinderen hebben om te verwennen. Die moeten doen alsof ze verrast zijn als ze pakjes openmaken met een treurig stemmende inhoud. Ik denk ook aan oude mensen, zoals meneer Dupotier, die niemand meer hebben om te trakteren en zelfs niet het excuus cadeaus uit te delen om de kou en de plotseling invallende duisternis rond theetijd te vergeten.

Simone en Simono hebben boven de deur van hun woning een zilverkleurige wimpel opgehangen. Vrolijk kerstfeest, staat erop. Aan wie is deze boodschap gericht? Aan de bewoners van het flatgebouw, aan Niniche die eindelijk uit het ziekenhuis is en aan het sponzen is? Niniche die zich ten slotte in een spons veranderd heeft met haren als vezelige draadjes van een dweil en grote gele ogen als bellen van een schoonmaakmiddel aan de oppervlakte van een plas smerig water. Ik besef dat ze niet alleen slavin is van de conciërges, maar dat ze ook hun afgetakelde dubbelganger is, hun vleesgeworden losbandigheid, een concentraat van corruptie.

Simone en Simono veranderen niet. Ik heb nu al zeven jaar met hen te maken. Zelf heb ik wat rimpels gekregen en ik heb mijn kinderen groter zien worden; er is een supermarkt gekomen en een Chinees restaurant verdwenen, talloze cafés zijn de blinde gaten van de oude, zwartberookte flatgebouwen komen opvullen, een magazijn is in brand gevlogen, het gemeentehuis is in andere handen overgegaan, een grote bouwondernemer heeft een stuk grond bemachtigd om er een billboard neer te zetten dat net zo misplaatst is als een voerbak voor mezen midden in de Sahara. Sommige huizen zijn gesloopt, andere opgericht, van tegels, van glas, huizen die op reusachtige iglo's lijken, waarvan je het al koud krijgt als je ernaar kijkt. Grote jonge mannen met mutsen rijden onbelemmerd op hun skates met een tas schuin over hun borst. Simone en Simono zijn dezelfden gebleven. Uit de wallen onder hun ogen is geen enkele nieuwe vermoeidheid af te lezen en verbittering heeft geen verraderlijke sporen nagelaten om hun dorre mondhoeken. Aan Niniche is dat allemaal niet voorbijgegaan. Een flinke tik van de molen. Ze verft nu zelfs haar wimpers. Ik denk dat zoiets toch in je ogen moet prikken. Met die kleine witte haartjes die uit haar oogleden steken, lijkt ze steeds meer op van die blindgeboren waterwezens, half vis en half hagedis, die vastgeplakt zitten in de onvermoede ijskoude poelen van grotten. Ze heeft moeite met praten, haar mond heeft de spierspanning verloren die nodig is om te articuleren. Ze schreeuwt, knort, spreekt wartaal; ze heeft haar reumatische vingers vastgeklemd om haar wandelstok die ze niet meer loslaat en vergeet te gebruiken bij het lopen.

'Wat wil hij nu weer', zeg ik tegen mezelf terwijl ik vanachter mijn computer opsta. Meneer Dupotier heeft al Pepito's gegeten en zijn ontbijt, een croissant en een half stokbrood dat door Simone naar boven was gebracht.

'Hallo, buurvrouwtje.'

'Hallo, meneer Dupotier.'

'Hoe laat is het?'

Ik kijk op mijn horloge alsof minuten voor hem van belang zijn. Maar meneer Dupotier leeft niet meer volgens onze tijd. Hij gaat achteruit als wij vooruit gaan. Voor hem rekken de seconden zich uit tot het oneindige en rijgen de dagen zich aaneen. Zijn zandloper stroomt te snel, draait zich zonder reden om en raakt verstopt.

'Achttien uur vijftien.'

'Ik heb trek in oesters.'

'Wat?'

'Ik zou graag oesters willen.'

Ik denk aan de smerig groene ogen van Simono, aan zijn rochels op de stoep.

'Heb ik niet', zeg ik kokhalzend.

'Maar ik heb echt heel veel trek in oesters.'

'Wat wilt u dat ik daaraan doe, meneer Dupotier? Ik zou ook wel een heleboel dingen willen eten, maar ik doe het met wat er in de kast ligt. Goed? U gaat dus weer terug naar huis. Het is zo etenstijd. Simone brengt zo iets voor u naar boven.'

Ik doe de deur weer voor zijn neus dicht hoewel hij nog helemaal geen aanstalten maakte om de terugtocht te aanvaarden.

Weer zo'n kerstgril. En waarom geen kaviaar nu we het er toch over hebben? Ik had hem moeten zeggen dat we in mijn tijd tevreden waren met een sinaasappel. Ik ga de aardappels opzetten voor de kinderen die in hun kamer heel lief met oorlogspoppetjes aan het spelen zijn. Ik hoor hun stemmen, die ze voor de gelegenheid mannelijk laten klinken, ongekend onschuldige woorden uitwisselen. Mijn twee buiksprekers zijn vanavond niet op oorlogspad: 'Ben jij bevriend met Batman Zeepiraat?'

'Nee, ik ben de Melkwegverdediger van de ijskoude Continenten, ik ben bevriend met Batman Noodlottig Schild.'

'Kun je aan Batman Stalen Pantser vragen of hij op mijn verjaardag komt?'

Hij heeft ja gezegd, maar hij wil ook dat Batman Raketwerper en Batman Atoombazooka worden uitgenodigd.

'Zeg ze maar dat er ook boterhammen met pasta zijn.'

'Ik vind boterhammen met honing lekkerder.'

Blijkbaar leidt dit conflict over smaak niet direct tot een aanval. De plastic kereltjes rukken op hun onbuigzame pootjes op, geven elkaar onhandig een hand en gaan in een kring rond een laag tafeltje van Lego zitten. Bolletjes figuurklei stellen een feestmaal voor dat meneer Dupotier zou doen verbleken van afgunst.

Ik denk aan de voedingscyclus, aan al dat eten dat we naar binnen moeten proppen. Op het menu staan spinazie voor onze spieren, vis voor ideeën en worteltjes voor vriendelijkheid. Ik vertel een heleboel verhaaltjes aan mijn kinderen om ze ervan te overtuigen dat eten goed voor hen is. Verhaaltjes die altijd weer op hetzelfde neerkomen: van soep word je groot, van vlees word je sterk; maar er zijn ook maffere verhaaltjes: bijvoorbeeld, courgettes zijn geen courgettes maar *troquettes*, een groentesoort waar men in feite al duizenden jaren niet meer aan gedacht heeft, de enige groente waar de dinosaurussen van hielden. Soms vraag ik me af waarom ik me er zo in vastbijt en wat de werkelijke aard is van de lol die ik voel als – oh wonder! – ze hun borden leeg eten zonder dat ik misbruik heb moeten maken van hun naïviteit.

'De kinderen hebben goed gegeten', wat stom dat je het prettig vindt als je zo'n zinnetje hoort en dat je het zo aangenaam vindt om het te zeggen. Ik geloof dat een Engels spreekwoord beweert: *You are what you eat*, in het Nederlands is dat 'je bent wat je eet'. Het kan best zijn dat ik dit gezegde heb verzonnen en ik hoop dat de puristen mij dit niet kwalijk nemen, want het is zo treffend dat ik er persoonlijk niet buiten kan. 'Je bent wat je eet' en omgekeerd 'je eet wat je bent'.

Ik vraag me dus af waar het plotselinge verlangen naar oesters van meneer Dupotier vandaan kan komen. Kerstmis. Hij wil eten wat de anderen eten om zichzelf de illusie te geven erbij te horen. Ik weet dat hij de kersttaart wel kan vergeten, net als de kalkoen, en ik zou hem er graag van overtuigen dat hij zonder die dingen ook kan overleven.

'Wat gebeurt er nu weer?'

Ik heb de deur niet gehoord en ik word verrast door Julien die net de keuken in komt. Hij zit goed weggedoken in zijn sjaal en zijn enorme handen, die ingepakt zitten in leren handschoenen, maken grote gebaren in de richting van de kamer.

'Niets, alles gaat goed', zeg ik.

'Heb je die ladder niet gezien?'

'Welke ladder?'

'Buiten.'

Ik zet grote ogen op. Ik begrijp geen woord van wat hij zegt.

'Simone brengt haar potje voor die ouwe via een ladder naar boven.'

Julien neemt me mee naar de kamer en doet het raam open. De conciërge is verdwenen, maar de ladder staat nog op de stoep en leunt tegen het balkon van meneer Dupotier.

Julien gaat naar beneden om te kijken wat er aan de hand is. Als hij weer boven komt, legt hij me uit dat onze buurman zijn sleutels kwijt is.

'Maar hij was tien minuten geleden nog hier', zeg ik stomverbaasd.

'Waar, hier?'

Julien is geprikkeld, ik weet niet ten opzichte van wie, maar aangezien ik op dit moment zijn enige gesprekspartner ben, richt hij zijn woede op mij.

'Op de overloop. Hij vroeg om oesters.'

'Oesters?'

'Vanwege Kerstmis.'

Toen ik naar huis ging, ben ik langs het bejaardenhuis gekomen. Een heel groot raam kijkt uit op de straat die naar de school leidt. Een reusachtig bioscoopscherm waarop bijna niets gebeurt. In de eetzaal zitten de oudjes aan ronde tafels op gewone stoelen of in rolstoelen. Hun hoofd lijkt op een vreemde manier los van hun lichaam te zitten, zodat het naar voren hangt als de kop van een gier. Hun gezichten zijn bleek. Hun huid is vuurrood. Hun handen die gekromd zitten om de armleuningen of in elkaar verstrengeld, lijken ingeslapen te zijn. Ze hebben een afwezige blik, hun ogen zijn loodzwaar en hebben de troebele kleur van modderig water. Bij sommigen hangt hun mond open, anderen hebben vastgeplakte lippen die elkaar naar binnen trekken alsof ze van binnenuit opgezogen worden. Je zou ze door elkaar willen schudden, de eetzaal heen en weer willen bewegen, zodat kunstsneeuwvlokjes op hun hoofd vallen zoals in die glazen sneeuwbollen, die doorzichtige en waterige wereldjes die door minuscule kabouters, danseressen of clowntjes worden bevolkt. Slingers van gekleurde lampjes knipperen aan het plafond en langs de pilaren op het ritme van *De vier jaargetijden* van Vivaldi die je nauwelijks door het raam kunt horen. Wimpels van zilverpapieren letters wapperen als speelballen van de radiatoren. Niet één oudje beweegt. De verpleegsters praten tegen hen, ze strelen hun broze koppies, laten hun plaatjes, speelkaarten en snoepjes in alle kleuren zien. Hun thee-uurtje lijkt op een vreemde manier op dat van de groep van Batman in de slaapkamer van mijn kinderen.

Ik troost me vaak met te zeggen dat meneer Dupotier thuis beter af is, dat hij nog kan praten en dat zijn geheugen nog goed is, dat het verdriet uit zijn verleden goed te dragen is, beter in ieder geval dan de kilometers witte lakens die in stilte rondspoken in de afgetakelde geesten van de oudjes hiernaast.

De volgende ochtend als ik boodschappen gedaan heb, zie ik dat Simono de ladder die hij gisteravond in de kelder had teruggelegd, weer op zijn plek zet.

'Hebt u geen reservesleutel?'

Hij springt op en draait zich langzaam naar mij om. Hij strijkt met zijn hand door zijn plakkerige haren en zucht. Een vrouw zegt iets tegen hem en dat doet hem evenveel plezier als wanneer zijn hond een serenade zou hebben gebracht. Hij bekijkt me langdurig van top tot teen en lacht me uit met zijn vooruitgestoken kin en zijn hanglip.

'Jullie kunnen het ook niet laten om overal je neus in te steken, nietwaar?'

Ik zou hem willen vragen op wie hij zinspeelt, op vrouwen of op jongeren? Maar plotseling weet ik het antwoord waardoor het bloed in mijn aderen stolt. We hebben toch een echt Franse achternaam. Geen betere dekmantel mogelijk. Ik zal Simone wel in vertrouwen hebben genomen in de tijd toen zij mij nog een beschermengel leek, natuurlijk wel aftands, maar toch vriendelijk. Simono heeft mijn vader in het Arabisch horen praten met de slager van beneden. Hij heeft inlichtingen ingewonnen in de buurt. Zei hij mij niet dat hij vroeger bij de politie zat?

'U hebt geen antwoord gegeven. Ik vroeg u of u niet nog een sleutel hebt.'

'Ja echt?' zegt hij met een hoog stemmetje. 'Ik heb niets gehoord. Ik ben hardhorend. Ik word doof als ik je de trap op zie lopen in je opwaaiende rokje.'

Hij is trots op zichzelf. Ik geneer me. Voor de gedachten waarin hij me hult, voor het feit dat hij over mijn lichaam kan beschikken als het hem uitkomt en me talloze gruwelijke spelletjes kan laten spelen in zijn zondige dromen. Hoe zou ik hem met gelijke munt kunnen betalen? Niets zal hem kwetsen. Ik denk aan David en Goliath, maar geen schaduw van een stenenwerper aan de horizon te zien. Ik zeg tegen mezelf dat geen en- kele marteling op den duur effect zou hebben, want alles bij hem is al verrot. Hij zal alleen maar tranen laten van pijn, niet van spijt of verdriet en evenmin van wanhoop. Hij heeft geen ziel en ik besluit in een filosofische opwelling waarin ik nog minder geloof dan in de kerstman, dat dat juist zijn straf is. 'Je hebt geen ziel', zeg ik hem zonder dat er een woord over mijn lippen komt.

'Je trekt een raar smoeltje, schat. Zeg eens tegen pappie wat je dwarszit. Is het de sleutel van die ouwe?'

'Ja', zeg ik lafhartig. 'Ik zou graag willen weten wat u ermee gaat doen.'

'De slotenmaker bellen en de rekening naar zijn schoondoch- ter sturen, lieverd. Zo moeilijk is dat niet.'

'Ik waarschuw u dat u maar beter alles snel kunt regelen.'

'Kijk haar nou eens steigeren. Zeg eens, je wordt toch niet be- taald door de weduwe Dupotier? Je hebt er niets mee te maken. Begrepen? Ik waarschuw je op mijn beurt: haal het niet in je hoofd om ons zoals de laatste keer te zieken. De juten hebben wel iets anders te doen dan te luisteren naar dat gemauw van die papkindjes.'

Ik weet dat hij liegt, maar ik heb geen enkel middel om hem dat te laten bekennen. Ze hebben hem opnieuw in zijn huis op- gesloten. Meneer Dupotier heeft met hen over oesters gepraat en ze hebben besloten dat dat bestraft diende te worden. Ik be- grijp niet hoe ze aan zo'n onverzadigbare wreedheid komen.

Als ik weer naar boven ga, hoor ik hem op zijn deur slaan. 'Help', roept hij op een irritant toontje. Ik betrap me erop dat ik denk: laat me met rust, ouwe zak, val dood, val toch dood, verdomme.

'Ik ben er, meneer Dupotier', zeg ik vanaf de overloop.

'Buurvrouwtje! Ik ben mijn sleutel weer kwijt. Ik word gek.'

'Dat geeft niet. We gaan een slotenmaker bellen. Maakt u zich maar niet druk. Simone zal uw maaltijd boven brengen.'

Ik laat hem grienen en ga de afloop van de hele operatie vanuit mijn raam in de gaten houden. Zoals te verwachten was, staat de conciërge op de ladder met een kom in haar hand. De boterhammen zitten in de zak van haar schort. Bij elke sport die ze opgaat, gaat ze tekeer vanwege de koffie die ze knoeit en die haar vingers verbrandt. Pokkenzooi, stomme klerelijer van een ouwe zak, godverdommese kutkoffie, ouwe broekeschijter, van mijn part crepeert hij maar, de lul. Vooroverhangend kijk ik toe. Mijn handen zijn ijskoud door het contact met het balkon waarop ik leun. Simone heeft over haar onderjurk alleen maar een vest aan, haar blote kuiten worden blauw. Ze heeft niets tegen de kou, maar alles tegen die ouwe. Als je haar een mes zou geven, zou ze hem zonder problemen zijn strot afsnijden. Maar ze denkt aan de dertienhonderd franc die zijn schoondochter haar iedere maand geeft. Die geldsom is niets anders dan het bedrag dat dat vreselijke wijf denkt nodig te hebben om haar schoonvader in leven te houden.

Toen ik haar opbelde om haar te vragen hoe het stond met de

formaliteiten voor de gemeentelijke sociale dienst, antwoordde ze me dat dat allemaal niet doorging, omdat ze tweehonderd franc duurder uit zou zijn dan ze nu betaalde.

'Ik kan me niet permitteren geld over de balk te gooien, begrijpt u?'

Nee, ik begreep het niet. Ze had geen kinderen, geen man meer, een baan, en een vooruitzicht op een nogal aanzienlijke erfenis.

'Het zou toch beter zijn', probeerde ik. 'Dan kan hij een werkster krijgen. Het is echt heel vies bij hem, weet u?'

'Het is walgelijk vies, wilt u zeggen. Hij maakt er een rotzooi van. Schandalig. Arme Simone heeft wel wat anders te doen.'

'Precies', probeerde ik. 'Als de gemeente zich ermee zou bemoeien, zou Simone wel opgelucht zijn.'

'Maar betaal die tweehonderd franc dan toch zelf als u het leuk vindt om uw goeie geld te verspillen.'

'Als dat alles is, dan wil ik dat wel.'

Ze zweeg een ogenblik, stomverbaasd over mijn antwoord. Als er een Marsmannetje uit haar ijskast zou zijn gekomen, zou ze niet verbaasder zijn geweest.

'Dat kan niet', zei ze uiteindelijk kortaf. 'U bent geen familie.'

Die dag heb ik tegen Julien gezegd dat ik nooit meer met dat mens wilde praten. 'Als we haar terug moeten bellen, doe jij dat maar.' Dat vindt hij goed. Zij maakte hem niet bang, zij was ook maar een mens, het soort waartegen hij beter bestand leek te zijn dan ik.

'Voor tweehonderd franc, besef je dat?' schreeuwde ik. 'Over een klein jaar krijgt ze die weer terug, als het in dit tempo doorgaat.'

'Dat is nog niet zo zeker. Meneer Dupotier is in wezen gezond. Met goede voeding zou hij het wel eens lang uit kunnen houden.'

'Zou het dan moord zijn?' zeg ik geschokt.

Julien schudt glimlachend zijn hoofd. Hij heeft te doen met mijn verbazing.

'Wat denk je?'

De schurken, zeg ik tegen mezelf. Twee kraaien pikken elkaar de ogen niet uit.

Simone klopt op de ruiten van de oude man die opendoet om zijn ontbijt te bemachtigen.

'Hebt u toevallig mijn sleutel niet ergens gevonden?'

'Maar ik zeg je toch dat hij kwijt is', snauwt ze hem toe als ze naar beneden loopt.

Ik kijk nog steeds naar haar. Ze kijkt me niet aan. Ze mompelt wat scheldwoorden en beneden aangekomen trapt ze tegen de ladder. Ik vraag me af wat ze ermee opschiet. Er is niets grappigs aan om in de kou op sloffen de acrobaat uit te hangen.

Op dat moment gaat mijn fantasie met mij aan de haal. Ik glimlach. Ik denk aan hoe het eruit zou zien als ik de baas was.

Als ik de werkelijkheid naar mijn hand zou kunnen zetten, zou Simone haar gerechten naar meneer Dupotier brengen op een dienblad dat ze op haar hoofd zou balanceren, haar vrije handen stevig om de stijlen van de ladder geklemd. Bij elke sport zou ze een versregel van een lofzang voordragen waarin het ontluiken van de egelantier bezongen wordt. Wat een gemauw zou Simono zeggen, zo ken ik er nog wel een paar.

De sneeuw begint in dikke vlokken te vallen. Opeens is de hele lucht ermee gevuld. Het gaat niet zoals met regen die gewoon uit de lucht valt; sneeuw kan ook vanaf de grond naar boven komen, sneeuw draait en vliegt, wordt gewoon zichtbaar en je vraagt je af hoe het mogelijk is dat je een seconde eerder die grote witte stippen nog niet kon onderscheiden. Simone staat nog altijd op de stoep, haar neus in de wind, ze draait haar platte gezicht in de richting van de ijzige pluimpjes, haar mond open, knipperend met haar oogleden. Plotseling ziet ze mij.

'Mooi hè, die sneeuw', zegt ze.

Vlokken vallen in haar decolleté en smelten meteen.

'Ga naar binnen, je vat kou', zeg ik tegen haar.

Zo van bovenaf gezien is ze mooi, rond en stevig, handen in haar zij, als een bromtol.

De sneeuw komt door het raam bij mij binnen. Ik zou willen dat hij ook uit het plafond kwam. Over enkele uren zal alles wit, helder en glinsterend zijn. Mijn geest is verward. Het sneeuwt ook in mijn hoofd. De kou maakt me stijf en suf. Ik heb alles verzonnen, zeg ik tegen mezelf. Meneer Dupotier, zijn gemene schoondochter, de gemene conciërges, de bedreigingen, de klappen, alles wat ze hem ontnomen hebben; het bestaat allemaal niet. Alleen de sneeuw is echt, de sneeuw en de stilte die erdoor ontstaat.

Maar toch, de ladder is er nog altijd.

Toen het avond werd, belden we de politie. Bij het idee alleen al draaide mijn maag om. Wat zullen ze ons nu weer voor de voeten kunnen gooien? Ik denk aan mijn ongedekte bankrekening, de onbetaalde boetes, deel drie van het kentekenbewijs dat we nog steeds niet hebben gekocht, onze gezichten, onze kleding. Grondige schoonmaak. De kinderen vroeg laten eten. Er normaal uitzien. Maar we hebben geen keus. Julien is naar beneden gegaan voor een laatste onderhandeling die niets heeft opgeleverd. Of eigenlijk wel: een wonderbaarlijk vuurwerk van ergernis, de breuk van een stuwdam gevolgd door een stortvloed van vloeken.

'Ik maak zijn deur niet open, zeg ik je. Kleine klootzak. Ik ga jou openmaken. Jouw schedel zal uit elkaar spatten. De muren zullen onder zitten.'

Ik hoorde alles op de overloop. Ik had de kinderen, die op het geluid afgekomen waren, naar hun kamer teruggestuurd. Ik vroeg me af of ik me er niet mee had moeten bemoeien en ik voelde me laf. Julien antwoordde niet. Ik zag hem voor me, mijn vent met die donkere ogen, mijn vedergewicht die nergens bang voor is. Simono zou zich op hem kunnen werpen met zijn revolver in zijn hand.

Op het puntje van mijn tenen ben ik één etage naar beneden gegaan. Een plotselinge stilte in het trappenhuis maakte mij ongerust. Voor de woning van de conciërges stonden ze tegenover elkaar, de mooie jongen en de smeerlap, de onverschrokken held en het weerzinwekkende monster. Julien stampte zachtjes met zijn voet op de vloer in de maat van een of ander liedje. Simono daagde hem uit met zijn enorme buik en zijn vette, slappe borst als een dreigende boeg. Straaltjes speeksel sijpelden van zijn omgekrulde lippen. Hij was klaar om te bijten.

'Ben jij een jood?'

Julien antwoordt niet.

'Weet je wat ze bij ons met joden doen?'

Julien verroert zich niet.

Met zijn kromme duim maakt Simono het gebaar om zijn keel door te snijden.

'We helpen ze om zeep.'

Julien schudt twee of drie keer met zijn hoofd en keert zich zonder een woord te zeggen om. Heel langzaam loopt hij weer de trap op naar mij toe. Ik zou hem willen zeggen dat hij moet rennen en springen, om zo snel mogelijk uit het schootsveld van de conciërge te verdwijnen. Ik ben bang voor een schot tussen zijn schouderbladen, een dolk in zijn rug. Ik neem Julien in mijn armen en ik barst in snikken uit.

'Wat heb je nou weer?' vraagt hij me geërgerd.

'Het is verschrikkelijk. Heb je gehoord wat hij zei? Heb je gezien wat hij deed?'

'En wat dan nog? Dat is toch niks nieuws. Je geloofde toch niet dat het een bewonderaar van Freud of van Kafka was?'

'Het bestaat nog steeds. In '40 had je ook al zulke mensen.'

'Waarom wil je dat dat verandert? Het heeft geen zin om erover te praten. Ik bel de politie.'

Ik dacht meteen dat we geen racistische beledigingen moesten uitlokken, want in '40 stond de politie aan de verkeerde kant en omdat er immers niets verandert…

'Goedendag dames en heren.'

Ze zijn met z'n drieën net als de vorige keer, twee mannen en een vrouw.

Zij richt zich tot mij en ik probeer de situatie zo goed en zo kwaad ik kan samen te vatten. Zij maakt aantekeningen en spert bij elk nieuw detail haar ogen wijd open.

'Het lijken de Thénardiers wel!' roept ze als conclusie van mijn angstige uiteenzetting.

Op dat moment kan ik haar wel om haar nek vliegen. Zij heeft het begrepen, zij vindt het schandalig, zij heeft Victor Hugo gelezen.

De brigadier neemt Juliens getuigenverklaring op, terwijl de derde politieagent de kinderen ervan probeert te overtuigen dat er veel spannender dingen gebeuren in hun slaapkamer.

Julien vertelt zelfs het kleinste detail. Ik zie dat hij het gebaar van Simono nadoet, terwijl zijn gesprekspartner het hoofd schudt.

'Wat een klootzak!' zegt hij.

Ik hoor de cavaleriemuziek uit cowboyfilms. Ik weet dat er grijze uniformen zijn maar ook blauwe.

'Hebt u niet geprobeerd om bij uw buurman binnen te dringen?'

'Nee', antwoordt Julien.

'Prima. Als u dat gedaan zou hebben, zou het inbraak zijn geweest. Dat zou de zaak ingewikkelder gemaakt hebben. Goed, wacht hier op mij, ik ga die meneer bevrijden en direct daarna zullen we ons bezighouden met die twee anderen.'

De brigadier doet het raam open en stapt behendig op het balkon. Na enkele voorzichtige passen gezet te hebben op de daklijst, klopt hij op het raam van meneer Dupotier.

'Dat is gevaarlijk', zeg ik.

'Onze chef is een goeie', antwoordt zijn assistent.

Ik vraag aan de jonge vrouw wat ze van plan zijn.

'We zullen meneer Dupotier ter observatie meenemen. Hebben ze hem geslagen?'

'De laatste tijd niet', zeg ik.

'Hij zal toch worden opgenomen in het ziekenhuis. Dat is de gang van zaken.'

'En de conciërges dan?'

'Die zullen worden opgesloten', zegt de jongen terwijl hij zijn schouders ophaalt.

Hij is jonger dan wij. Zijn kepie is te groot en zijn uniform zit losjes om zijn puberlichaam.

'Wat een ellende', voegt hij eraan toe.

Die heeft zijn roeping niet gevonden bij de poppenkast toen hij zich verkneuterde bij elke stokslag die de Veldwachter uitdeelde; hij zal wel hele zaterdagmiddagen met open mond voor de tv naar *Serpico*, *Ironside* of *Kojak* gekeken hebben. Hij heeft toen tegen zichzelf gezegd dat iets meer gerechtigheid op aarde niemand kwaad zou doen en dat hij daar misschien wel een steentje aan kon bijdragen.

Ik zou hun wel koffie of thee willen aanbieden, maar ik ben bang dat ze zullen zeggen: nooit in diensttijd.

Kijk, daar heb je nou de dienaren van de wet. Eindelijk heeft de wet zijn intrede in ons huis gedaan en alles wordt weer zoals vroeger. Ik zal niet bang meer zijn dat de dolle hond mijn kinderen verslindt of dat een kogel tussen de ogen van Julien belandt. Ik zal naar binnen en naar buiten gaan alsof er niets gebeurd is. Ik zal niet loeren naar de bewegingen achter de vuile kanten vitrage van de conciërgewoning, ik hoef niet bang te zijn dat de kinderen te veel lawaai maken als ze uit school komen, ik hoef vrienden die bij ons op bezoek komen niet meer te waarschuwen dat onze conciërges gestoord en misschien wel gevaarlijk zijn.

Ik werd me pas bewust van de terreur die het vette varken had weten te zaaien toen ik dit allemaal op een rijtje zette. Ik besef dat ik een aantal jaren met ingehouden adem naar mijn etage ben gelopen in apnoetoestand, met een bonzend hart en een dichtgeknepen maag en dat lijkt me plotseling absurd. Hoe kan ik zo bang geweest zijn? Hoe kon ik het aan? Het vette varken is erin geslaagd alle angsten uit mijn kindertijd weer op te rakelen.

Ik weet dat Simone er niets mee te maken heeft. Of ze nu wel of niet medeplichtig is, is mij niet duidelijk. Ik ben zo laf en zo beïnvloedbaar dat ik er niets aan kan doen dat ik mijn conciërge toch wel mag. Alles wat Simone gedaan heeft, heeft ze volgens mij gedaan uit liefde voor die broer – die minnaar. En uit angst, want ik heb verschillende keren in haar ogen de uitdrukking van de dolle hond herkend. Ongetwijfeld sloeg hij haar. Hij heeft haar misschien bedreigd met zijn revolver. Simone en Simono waren zeer bedreven in het maken van ruzies. Ze schreeuwden harder dan de tv. Ik ben er nooit achter gekomen wat de redenen voor hun ruzies waren, maar ze waren nogal heftig. Even later begon de hond ook nog eens te janken, kreeg daarop trappen in zijn zij en klappen met sloffen op zijn snuit. Een dictator heeft op de begane grond van onze flat de macht gegrepen en wij hebben hem zijn gang laten gaan. Dat heeft drie jaar, de leeftijd van Nestor, geduurd.

Hij heeft geen genoegen genomen met het treiteren van meneer Dupotier. Hij heeft altijd de baas willen spelen. De plek waar de hond van mevrouw Calmann mocht plassen, het tijdstip waarop de meisjes van de derde etage thuis moesten komen; hij heeft het fietsenhok veranderd in een parkeerplaats voor zijn motor met zijspan, en deed tegenover ons alsof hij was bevorderd tot bewaker van de ondergrondse parkeergarage die aan ons flatgebouw grensde. Gedurende enkele weken heeft hij inderdaad met een grijs uniform gepronkt met op zijn mouw een oranje embleem waarop stond: veiligheidsdienst. Hij regelde het verkeer vanaf de vluchtheuvel op de boulevard, hielp jonge vrouwen die hem niets gevraagd hadden met fileparkeren terwijl hij spottend lachte: 'Vrouwen aan het stuur…' Als hij de middelen ervoor had gehad, zou hij een metaaldetector hebben geïnstalleerd onder de entree van het flatgebouw. Wij hebben er niets tegen gedaan.

Ik hoor beneden Simone snikken terwijl ze haar handboeien omdoen, ze verzet zich, scheldt de politieagenten uit. Het is onrechtvaardig, zeg ik tegen mezelf, want ik weet dat Simone goedhartig is. Is dit een excuus? Wat zou ikzelf uit liefde wel niet doen? Hoewel ik nooit verliefd zou worden op een smeerlap. Precies, hier heb ik de zwakke plek gevonden. Als je vooraf weet wat de gevolgen zullen zijn, is je aanvankelijke keuze onaanvaardbaar. Laten we de liefde buiten beschouwing laten en het alleen hebben over angst. Als iemand me slaat of als iemand degenen van wie ik houd dreigt kwaad te doen, tot hoever ga ik dan met hem mee? Ik weet niet waarom ik me deze situatie niet kan voorstellen. Is het omdat ik geluk gehad heb, omdat ik goed opgevoed ben, of omdat ik niets tekortgekomen ben? Het kleine rijke meisje hervat haar werkzaamheden. Zou dit allemaal slechts een probleem van standsverschil zijn? Maar ik dwaal af, want het is eigenlijk alleen maar het gevoel dat aan het woord is. Laten we zeggen dat Simono de broer is van Simone; zij kan het natuurlijk alleen maar met hem eens zijn, omdat zij samen klein zijn geweest, omdat ze heel vroeg begonnen zijn samen vlinders vleugels uit te trekken.

De agenten vroegen ons papieren te ondertekenen en ik keek door het raam hoe twee busjes met zwaailicht over de boulevard wegreden. In de ziekenauto meneer Dupotier, die ik geen gedag heb kunnen zeggen. In de arrestantenwagen de conciërges, Simone in tranen en Simono die op allerlei manieren met de dood dreigde. In het huis heerst nu stilte.

Moïse komt zijn kamer uit om ons te vragen wat er gebeurd is.

'De politie heeft de conciërges meegenomen', legt zijn vader hem uit. 'En de dokter gaat voor meneer Dupotier zorgen.'

'Is hij ook weg?' zegt Moïse.

'Ja.'

'Wanneer komt hij terug?'

Op die vraag hebben wij geen antwoord.

'Ik bel zijn schoondochter', verklaart Julien.

Ik bewonder zijn moed en trek me terug in de slaapkamer van de kinderen.

'Wat een onmogelijk mens', zegt hij na opgehangen te hebben. Ik geloof dat zij op de eerste plaats staat in de toptien van schurken.

'Ik hoop dat je haar gefeliciteerd hebt.'

'Van harte. Toen ik haar zei dat de conciërges hem weer opgesloten hadden en dat zij door de politie waren ingeladen, wist ze niets anders te antwoorden dan: "Het is me wat!"'

'Wat, het is me wat?'

'"En wie gaat er nu zorgen voor mijn schoonvader?"' (Julien doet de vinnige stem van de weduwe na.) '"Uw schoonvader heeft niemand nodig, hij is ter observatie meegenomen." "En als hij terugkomt, wie gaat er dan voor hem zorgen?" "De wijk zit vol mensen die werk zoeken, we zullen geen moeite hebben iemand te vinden." "Maar hoe weet ik dat ze aan te bevelen zijn?" "Vindt u Simone en die vetzak dan aan te bevelen? Mensen die een oude man slaan, bedreigen, uithongeren, thuis opsluiten, vindt u die aanbevelenswaardig?"'

'Wat antwoordde ze?'

'Niets. Ze herhaalde: "Het is me wat."'

'Wat een trut!'

We besluiten een fles champagne open te maken, maar omdat we er geen hebben, bezatten we ons met wodka.

Julien is lichtelijk aangeschoten als hij een telefoontje krijgt van de recherche: hij moet over een uur een nieuwe getuigenverklaring komen afleggen.

'En als ze een alcoholtest doen?' vraag ik hem terwijl ik aan de mouw van zijn jack trek.

'De aanklager heeft het recht om te drinken. De aanklager heeft alle rechten.'

'Vergeet je papieren niet.'

U moet weten dat Julien een aantal minder prettige ervaringen heeft gehad met politiebureaus.

'Ik ga naar de recherche, schoonheid. De recherche is commissaris Maigret, *De laatste vijf minuten*. Het serieuze werk, zware jongens, *snappez-vous?*'

Julien geeft me een reeks vage knipoogjes en ik zeg tegen mezelf dat hij duidelijk vrolijker is als hij gedronken heeft. Ik voorzie een leuke alcoholische oude dag en ik sluit de deur achter hem terwijl ik mijn vingers kruis opdat hem niets overkomt.

8

De getuigenverklaring

In de vroege ochtend is Parijs wit. We zouden er allemaal van moeten profiteren om een winterslaap te houden, maar mensen zijn niet zo verstandig. Als ik terugkom van school, kom ik Niniche tegen in de hal van de flat. Ze lacht naar me en vraagt in haar brabbeltaaltje hoe het met de kleintjes gaat.

Moet ik haar mijn excuses aanbieden? Of, wat meer voor de hand ligt, zal zij mij bedanken? Want wij hebben tenslotte haar kwelgeesten naar de gevangenis gestuurd, althans, dat denk ik op dit moment.

Zij is vrij, zonder werk en is met stomheid geslagen. Plotseling opgeklommen van uitgebuite scheepsjongen tot de rang van kapitein, loopt ze verdwaasd rond. Het minste of geringste maakt haar aan het schrikken. Ze hoort stemmen, herinnert zich de luchtverplaatsingen door de slagen die ze kreeg en brengt automatisch haar hand boven haar hoofd om zich te beschermen tegen de klappen en glimlacht opnieuw. Ze vraagt me of ik haar wil helpen met het uitzoeken van de post omdat ze er niet uitkomt.

Ze durft me niet te zeggen dat ze niet kan lezen en ik verzin iets om te voorkomen dat ze vergissingen maakt. Ik maak een stapeltje per etage en die nummer ik; met cijfers komt ze er beter uit. Jammer genoeg wordt de oefening ingewikkelder als het erop aankomt om links en rechts van elkaar te onderscheiden.

'Laat maar, Niniche, ik doe het wel', zeg ik tegen haar.

'Oh nee, u niet, dat hoort niet.'

Zo te horen zou je zeggen dat ik de koningin-moeder ben.

'Dat vind ik helemaal niet erg, echt niet. We hebben toch een lift.'

'Dan ga ik met u mee.'

Wat bezielt haar om me met u aan te spreken? Alsof ze het doet om iets goed te maken. Ze wil me laten zien dat ze respect voor me heeft. Gek genoeg laat ik me niet vermurwen. Niniche is in de wieg gelegd om te gehoorzamen en ze heeft mij uitgeroepen tot haar nieuwe baas. Ik moet niets hebben van deze promotie en ik neem het haar kwalijk dat ze niet in de gaten heeft dat ik noch Simone, noch Simono ben.

De klim is lastig. Niniche zit steeds aan mijn arm om mijn aandacht te trekken, om me verhalen toe te vertrouwen die ik niet begrijp, omdat ze heel slecht articuleert. Ze praat hortend en stotend. Je weet nooit wanneer een zin afgelopen is. Ze trekt aan mijn mouw, kakelt, zwijgt diepzinnig en begint opnieuw te praten. Ik kijk naar haar hangwangen, haar lage voorhoofd vol butsen, waarvan de kleur en de teint me doen denken aan die in cellofaan verpakte stukken plakkerig Arabisch snoepgoed.

Op de zesde etage stappen we uit de lift om aan onze tocht te beginnen. Elke keer als ik me buk om de enveloppen onder de mat te stoppen doet ze me na, ze bukt ook en zucht veel omdat haar maag in de verdrukking komt. Op de vierde komen we mevrouw Calmann tegen die boodschappen gaat doen. Ze kijkt naar Niniche en mij en kijkt me vragend aan. Bevangen door een wonderbaarlijke onverschilligheid, volsta ik met haar beleefd te groeten, alsof er niets aan de hand is. Mijn kalme gelaatsuitdrukking laat haar weten dat dit mijn nieuwe leven is: ik doe nu alles samen met Niniche; zij is zoiets als mijn schaduw, in zeker opzicht mijn rechterhand.

Als we op de begane grond zijn aangekomen, vind ik dat deze poppenkast lang genoeg geduurd heeft.

'Prettige dag, Niniche, ik ga boven weer aan het werk.'

'Wanneer komme ze weer?' vraagt ze me zuchtend.

'Nooit', zeg ik zonder medelijden.

'Komp Simone nie meer?'

'Nee.'

'En meneer Pierre, komptie ook nie meer?'

'Nee.'

'Waar zijn hun dan?'

Toch was Niniche er de vorige avond bij, toen de agenten de conciërges kwamen halen.

'Ze zitten in de gevangenis.'

'Wat hebben hun verkeerd gedaan?'

Ik geef haar maar geen antwoord. Ik heb net zo weinig hoop door haar begrepen te worden, als wanneer ik me tot een hond zou richten. Ik raad haar aan te gaan uitrusten, omdat ze dat maar het beste kan doen en omdat ik vrees dat ze anders van-avond nog staat waar ik haar achtergelaten heb. Niniche is net zo apathisch als een wees. Haar korte, spataderige benen dragen haar langzaam naar de stoel waarin ze neerploft terwijl ze tege-lijk op de afstandsbediening van de tv drukt. Ik doe zelf de deur van de conciërgewoning weer dicht om me te beschermen tegen het vrolijke geschreeuw van de presentator van een tv-spelletje.

Waar zou deze dag op kunnen lijken? Ik heb het gevoel alsof ik terugkom van het kerkhof, leeg en wazig. Het is onmogelijk om aan de slag te gaan. Ik benijd Julien die uiteraard afleiding heeft van het gezelschap van zijn medewerkers en die zijn gedachten moet wijden aan het oplossen van problemen. Ik staar woedend naar het donkergrijze beeldscherm van mijn computer die ik kwalijk neem dat hij me niets biedt en me niets vraagt. Ik zou willen dat ik het snoer van herinneringen dat door mijn hoofd loopt zou kunnen doorsnijden, dat iets of iemand een einde maakt aan dat aanhoudende gehamer van namen en voornamen die alleen al door ze te noemen voldoende zijn om mijn hart in-een doen te krimpen. Simone, Simono, meneer Dupotier, ik zal ze nooit meer zien. Jullie zijn uit mijn leven verdwenen. Ik heb jullie eruit gegooid. Ik heb gewonnen. Ik wil deze overwin-ning niet. Kom terug. Jullie moeten niet verdwijnen. Deze verantwoordelijkheid vliegt me naar de keel. Laat me jullie voor één keer een flinke lel geven. U niet, meneer Dupotier. U zal ik te eten geven, ik zal echte maaltijden voor u klaarmaken, verantwoorde hapjes vol vitaminen.

Ik zal een tikje geven op Simones hand en een flinke trap in Simono's buik of misschien ook een klap met een knuppel op zijn neus en zijn tanden. Daarna zal het allemaal beter gaan. We zullen allemaal gekalmeerd zijn en van voor af aan beginnen.

Ik krijg het niet meer op een rijtje. Zittend op het tapijt in de huiskamer stik ik. Ik snak naar logica zoals een vis die uit het water gehaald wordt naar lucht hapt. Wat moet ik in dit verhaal? Wie heeft besloten dat Simone mijn pad moest kruisen? Wat gaat er nu met Niniche gebeuren? Waar is meneer Dupotier naar toe gegaan? Wie zal zijn schoondochter straffen? Waarom hebben de andere bewoners van de flat niets gedaan?

Als Julien thuiskomt, treft hij me aan terwijl ik op de grond zit met mijn knieën tussen mijn armen geklemd. Ik heb me al uren niet bewogen, ik heb niets gegeten, ik zit zacht wiegelend te mijmeren. Hij heeft blauwe kringen om zijn ogen, paarse oogleden, een gespannen kaak, en hij kijkt alsof hij een ongeluk gehad heeft.

'Het kantoor van de inspecteur... Nee, het was geen inspecteur, alleen maar een dienstdoende wachtmeester. Een miezerig kereltje. Je kunt je niet voorstellen wat een armzalige kereltjes dat zijn. Zijn kantoor is piepklein, vaalgeel en groen geschilderd met een afbladderend plafond. Er staat niets anders in dan een tafel en twee stoelen. Geen posters aan de muur, geen telefoon, een kaal peertje en een extra radiator. Op tafel een schrijfmachine die net zo oud is als het gebouw. Minstens twee toetsen doen het niet en iedere keer als hij aanslaat, drukt hij vijf of zes keer achter elkaar. "Al-al-als i-i-ik d-d-at n-n-iet d-d-oe, s-s-slaat h-h-ij n-n-iet door o-o-op het ca-ca-carbon", zegt hij.

Wist jij dat er nog carbon bestond? Mijn laatste velletje carbon dateert uit de vijfde klas lagere school. Hij was heel aardig. Een langwerpig hoofd met rode haren en een sikje. Hij stotterde zo erg dat ik probeerde hem nooit aan het woord te laten. Iedere keer als hij een zin wilde zeggen, hield hij zijn adem in alsof hij een duik in het water nam en dat hielp niet, zie je, omdat hij na het tweede woord al uitgeput was.

In het begin durfde ik hem niet te onderbreken, om hem niet te kwetsen, maar al gauw had ik door dat hij het prima vond en dat deze oplossing hem uitstekend uitkwam. Alles wat ik in twee uur gehoord heb, is uit mijn eigen mond gekomen. Ikzelf heb hem gezegd dat hij sinds de dood van zijn vrouw alleen met zijn dochter woonde, dat je uiteindelijk nooit over de dood van een dierbare heenkomt, dat het leven verschrikkelijk wreed is en dat de stilte bij de maaltijden het ergste is. Ik heb hem ook gezegd dat er niets anders op zit dan je voor de wielen van de metro te gooien als je gepensioneerd bent.

Die geschiedenis bij ons, ik bedoel die van meneer Dupotier en de conciërges, was in vijf minuten klaar. Een halve pagina was genoeg. Het leek me weinig, maar toen ik het overlas, had ik er niets aan toe te voegen. Omdat de tafel wankel was en hij hem alleen maar in evenwicht kon houden door hem op zijn knieën te laten balanceren, waren van de meeste woorden één of twee letters weggevallen. Soms stond er drie keer een 's' achter elkaar of twee komma's. Maar inhoudelijk stond het belangrijkste er wel. *Tot twee keer toe met een tussenpoos van een jaar hebben mevrouw Chiendent en de heer Lacluze, huisbewaarders van het pand, de heer Dupotier, eigenaar van een appartement op de eerste etage, wederrechtelijk van zijn vrijheid beroofd.* "Eigenlijk is het sop de kool niet waard", heb ik tegen de agent gezegd. Maar daar was hij het niet mee eens. Ik sprak maar namens hem, ik zei: "Aan de andere kant zouden ze hem hebben kunnen doden. Het is misbruik van macht tegenover een afhankelijk iemand. Ze hebben hem ook geslagen en geïntimideerd." De agent schudde zijn hoofd. Terwijl we aan het discussiëren waren, belandden er twee rapporten op tafel die afgeleverd werden door een vreemde snuiter met bolle ogen die lachend zei: "Een paar mooie schoften, ha, ha, ha. Tuig van de richel, hè, hè, hè." De agent las ze me met moeite voor. Simone was al twee keer voorgekomen wegens souteneurschap en Simono voor verergerd souteneurschap en poging tot geweld ten opzichte van een menselijk persoon.'

'Wat bedoel je met verergerd? Wat is verergerd?'

'Weet ik niet. Heb ik niet gevraagd.'

'En poging tot geweld ten opzichte van een menselijk persoon betekent moord. Heeft hij geprobeerd iemand te doden?'

'Dat zal het wel zijn, ja.'

Ik huiver achteraf als ik denk aan die verzilverde revolver.

'Ze gaan dus de gevangenis in?'

Alsof ik vraag of het prinsesje aan het eind van het verhaal gaat trouwen.

'Ik geloof van niet.'

'Wat?'

'De agent voelde zich tamelijk ongemakkelijk; hij liet me weten dat ze niet veel tegen hen kunnen beginnen.'

'Wat houdt dat in?'

'Dat houdt in dat Simono ongetwijfeld een verklikker van de politie is en dat een hooggeplaatst iemand hem de hand boven het hoofd houdt.'

Ik zou alleen nooit de oplossing van dit raadsel gevonden hebben, want in mijn gedachtengang moeten Goed en Kwaad altijd duidelijk van elkaar gescheiden worden door een kloof, een rivier, een niet te passeren grens.

Als een schurk zich nuttig maakt, wordt hij niet gestraft. Het is een soort handel waar je wel degelijk rekening mee moet houden.

Ik moet deze wantoestand accepteren en begrijpen dat het geen kwestie is van politie en dieven. 'Wie zijn de schurken?' vroeg ik als kind wanneer ik tv keek. Het antwoord liet niet lang op zich wachten. 'De schurken zijn die met de hoeden.' 'De schurken, dat zijn de cowboys.' 'De schurken, dat zijn de Duitsers.' 'Waarom zijn zij schurken?' Mijn ouders gaven de voorkeur

aan de tweede vraag. Ze hadden het over strijd om gebiedsuit-
breiding, over economische crisis en ik kwam nogal verward
en vermoeid uit de discussie; niet alleen begreep ik niets van de
film, maar bovendien zei ik tegen mezelf: zij kunnen er niets
aan doen als ze schurken zijn en als zij er niets aan kunnen doen,
dan zijn ze het niet echt. Dus, wie zijn de schurken? Want het
leek me, ondanks de rationele verklaringen waarmee ze me
overlaadden, dat er in de wereld iets geheimzinnigs en ongrijp-
baars was, een verschrikkelijke kracht, snijdend en verraderlijk.
Met gesloten ogen en mijn tanden op elkaar geklemd, lag ik ang-
stig ineengedoken in bed. Mijn hart sloeg op hol, ik dacht dat ik
dood zou gaan. Alles tolde in mijn hoofd: lava van vulkanen, gif
van spinnen, mensen die kinderen roven, mensen die hen doden, soldaten die martelen, afgronden waar men nooit uit zou
kunnen klimmen, lawines, auto-ongelukken, deportatietrei-
nen, gevangeniscellen, atoombommen. Ik zag niet goed hoe ik
hieruit zou kunnen komen.

Ik wil u graag een verhaal vertellen over een schildpad. Ik zag op
de tv hoe zij in een turkooiskleurige lagune zwom. De commen-
tator vertelde me dat ze Lili heette. Het was een schatje, zoals alleen schildpadden kunnen zijn, die meer zweven dan zwemmen
en die hun sukkelachtige kop plotseling kunnen intrekken zoals
kinderen zich verstoppen om daarna als een duveltje uit een
doosje weer te voorschijn te komen. Lili was de heldin van de
film en je hoopte natuurlijk dat het goed met haar zou gaan. Je

wenste dat de zon haar niet zou uitputten en dat de zee haar van goede maaltijden zou voorzien, zodat ze haar weg kon vervolgen. Dat gebeurde op een bepaald moment in de vorm van een inktvis die geen naam had, en die verslonden kon worden zonder dat je dat erg vond. Zij begon met de kop, waarna de inktvis achteruit zwom, deed er even over om hem bewegingloos te krijgen, at één oog op en toen het andere. Toen ze op het punt stond de tentakels op te peuzelen, dook een haai op. Ik kon me niet voorstellen dat er enig gevaar zou schuilen in die ontmoeting. De haai was tamelijk klein en ik had vertrouwen in het instinct van Lili: zij zou wegduiken in haar gepantserde huisje en zich als een steen naar de bodem laten zinken. We moeten aannemen dat de lol van het vreetfestijn haar minder behoedzaam maakte, want ze ging door met het feestmaal, waardoor het roofdier zich op haar kon storten en haar kop, die hij met een beet losrukte, kon opslokken. Ik bleef verbijsterd kijken, terwijl de aftiteling over de beelden van het groene water trok, dat vermengd werd met het helderrode bloed.

9

Het einde

Na achtenveertig uur kwamen de conciërges weer thuis. De sneeuw begon te smelten. Op de stoep tekenden zich vuilgrijze en bruine voetsporen af die in alle richtingen door elkaar smolten. De opgewaaide sneeuw rond de bomen was bevlekt met hondenpies en zwart geworden van de uitlaatgassen. Een kristalheldere modder bleef aan je schoenen plakken. Het was vochtig, de lucht was zonder kleur, zonder hoop, en werd weerspiegeld als doffe zilverdraden in de overvolle goten. Wat een smerige wereld, dacht ik, of was het alleen maar de dooi?

Ik belde meneer Moldo, de vertegenwoordiger van de Vereniging Eigen Huis, om hem uit te leggen dat het misschien nodig was maatregelen te nemen. Het eindresultaat was stompzinnig. We waren van meneer Dupotier af en de conciërges waren teruggekeerd. Wat een zet.

'Wat is er aan de hand?'

'Nou, de conciërges zijn er weer, ze hebben mijn man bedreigd en ik wil dat ze vertrekken.'

'Daar kan ik niets aan doen. Het was geen ernstig vergrijp. Ze zullen naar het kantongerecht gaan en winnen, de vereniging van eigenaren kan het zich gewoonweg niet veroorloven.'

'Een oude man opsluiten, mensen met de dood bedreigen en ze uitmaken voor vuile joden, is dat volgens u geen ernstig vergrijp?'

'Niet volgens de CAO.'

'Geef me dan eens een voorbeeld. Vertel me eens wat dan wel aanleiding kan zijn om de zaak aan een andere rechtbank voor te leggen.'

'Het niet legen van vuilnisbakken. Weigeren de post rond te brengen, dat soort dingen.'

Het verse bloed gaat terug naar waar het vandaan komt, beste meneer Moldo. Ik denk dat ik bij de volgende vergadering van de vereniging van eigenaren, als we nog lang genoeg in de flat blijven om die mee te maken, even langs de ogenbank loop. De mijne hebben te veel gezien. Het zou misschien goed zijn om ze te vervangen.

Meneer Dupotier is nooit meer teruggekomen.

Drie maanden later zijn we verhuisd.

Agnès Desarthe bij Uitgeverij De Geus

Een klein geheim

Zes mensen ontmoeten elkaar toevallig op een feestje. De geheimen die elk van hen met zich meedraagt, zijn er de oorzaak van dat ouders, vrienden en partners elkaar voortdurend verkeerd begrijpen. Maar uiteindelijk, oog in oog met de dood, zijn al die geheimen klein en onbetekenend.

Vijf foto's van mijn vrouw

Max Opass hoopt het verlies van zijn vrouw te kunnen verwerken door een portret van haar te laten schilderen. Hij zet vijf kunstenaars aan het werk en praat met hen over zijn leven. Hij komt tot het besef dat hij noch van zijn eigen leven, noch van dat van zijn dierbaren veel heeft begrepen.